AUTEURS ET DIRECTEURS DES COLLECTIONS
Dominique AUZIAS &
Jean-Paul LABOURDETTE

DIRECTEUR DES EDITIONS VOYAGE
Stéphan SZEREMETA

RESPONSABLES EDITORIAUX VOYAGE
Patrick MARINGE et Morgane VESLIN

EDITION ✆ 01 72 69 08 00
Maïssa BENMILOUD, Julien BERNARD,
Alice BIRON, Audrey BOURSET,
Sophie CUCHEVAL, Caroline MICHELOT,
Charlotte MONNIER, Antoine RICHARD,
Pierre-Yves SOUCHET et Julie LAURO

ENQUETE ET REDACTION
Manon LIDUENA et Stéphanie POLI

STUDIO
Sophie LECHERTIER

MAQUETTE & MONTAGE
Delphine PAGANO, Julie BORDES,
Elodie CLAVIER, Élodie CARY, Évelyne
AMRI, Sandrine MECKING, Émilie PICARD,
Laurie PILLOIS et Antoine JACQUIN

CARTOGRAPHIE
Philippe PARAIRE, Thomas TISSIER
et Sophie CUCHEVAL

PHOTOTHEQUE ✆ 01 72 69 08 07
Elodie SCHUCK et Sandrine LUCAS

RELATIONS PRESSE ✆ 01 53 69 70 19
Jean-Mary MARCHAL

DIFFUSION ✆ 01 53 69 70 68
Eric MARTIN, Bénédicte MOULET,
Jean-Pierre GHEZ, Aïssatou DIOP,
et Nathalie GONCALVES

CITY TRIP ROME 2012-2013

NOUVELLES ÉDITIONS DE L'UNIVERSITÉ©
Dominique AUZIAS & Associés©
18, rue des Volontaires - 75015 Paris
Tél. : 33 1 53 69 70 00 - Fax : 33 1 53 69 70 62
Petit Futé, Petit Malin, Globe Trotter,
Country Guides et City Guides sont des
marques déposées ™®©
© Photo de couverture : iStockphoto.com_Nikada
ISBN : 9782746951501
Imprimé en France par IMPRIMERIE CHIRAT -
42540 Saint-Just-la-Pendue

Pour nous contacter par email,
indiquez le nom de famille en minuscule
suivi de @petitfute.com
Pour le courrier des lecteurs :
country@petitfute.com

Ce guide a été fabriqué chez un imprimeur bénéficiant du label IMPRIM'VERT.
Cette démarche implique le respect de nombreux critères contribuant à préserver l'environnement.

© AUTHOR'S IMAGE – PHILIPPE GUERSAN

Édito

Tous les chemins mènent à Rome ! Aujourd'hui, cet adage est le vôtre, vous qui avez décidé de vous offrir – seul, en couple, en famille ou entre amis – une escapade dans la Cité éternelle. Brillante idée que nous allons vous aider à concrétiser au plus près de vos rêves en vous dévoilant tous nos bons plans pour profiter au mieux de vos quelques jours dans la capitale italienne. Le Colisée et le Forum, la fontaine de Trevi, la piazza Navona, le Panthéon et le Campo dei Fiori, la villa Borghèse et la piazza di Spagna, la basilique Saint-Pierre et la chapelle Sixtine, mais aussi les ruelles pittoresques du Trastevere sont autant de merveilles que vous voudrez découvrir, arpentant allègrement les sept collines de la ville.

Rome, ville d'art et d'art de vivre. Entre les visites d'églises et de musées, les pauses gourmandes, les séances shopping, les étapes gastronomiques et les virées nocturnes, pas de temps à perdre ! Nous nous proposons de vous guider pas à pas, des incontournables de la ville à des adresses plus secrètes, de la *trattoria* authentique au restaurant branché, du glacier rétro à la boutique design, sans oublier de vous faire découvrir notre sélection d'hébergements pour toutes les bourses. Vous n'avez plus qu'à vous laisser aller à la *dolce vita*...

Sommaire

Le quartier de la Rome antique offre un fabuleux voyage dans le temps, au pays des empereurs et des gladiateurs. Les musées du Capitole, les ruines du Forum romain et du Palatin, et bien sûr le Colisée sont des incontournables. Plus confidentiel, le quartier de Monti invite à la flânerie à travers des rues pittoresques devenues le lieu de résidence favori des Romains branchés.

Délimité au sud par la piazza Venezia, au nord par le palais Quirinal et à l'ouest par le Tibre, ce quartier, optimisé pour les piétons, est l'épicentre de la Rome historique ! La concentration d'édifices Renaissance et baroques est vertigineuse : on y contemple des classiques comme la piazza Navona, la mythique fontaine de Trévi ou le majestueux Panthéon.

101

125 Vatican et Trastevere

La place Saint-Pierre, la chapelle Sixtine et quelques autres chefs-d'œuvre se trouvent dans la cité du Vatican. Plus au sud, le Trastevere, l'un des quartiers les plus photogéniques de Rome, est apprécié pour sa vie nocturne intense. Entre les deux, la colline du Janicule réserve de jolies promenades et de beaux panoramas sur la Cité éternelle.

145 Termini, Celio et Esquilin

Au sud du quartier cosmopolite de la gare Termini, la colline de l'Esquilin vaut le détour pour l'église Sainte-Marie Majeure, tandis que perchée sur la paisible colline du Celio, la basilique Saint-Jean de Latran est la plus vieille église au monde.

Piazza di Spagna et villa Borghèse

Entre la magnifique piazza di Spagna et la piazza del Popolo, les rues du Tridente abritent les grandes enseignes de la mode internationale, de jolies galeries d'antiquaires et de nombreux restos dans une ambiance chic et bohème. A deux pas, la villa Borghèse, célèbre pour ses magnifiques jardins et sa galerie, est la promenade incontournable à Rome. Quant aux escaliers de la piazza di Spagna, ils sont l'un des lieux de rendez-vous favoris des Romains.

165 Hors les murs

Des quartiers aux intérêts très variés entourent les murailles de Rome : musées d'art contemporain dans les quartiers de Flaminio et Nomentano, vie nocturne débridée dans le Testaccio et à Garbatella, mouvance alternative à San Lorenzo, sans oublier les catacombes de la via Appia Antica. Et plus loin le quartier de l'EUR et sa surprenante architecture mussolinienne.

Les immanquables

REPÈRES HISTORIQUES

▌ **La fondation de Rome : une affaire mythologique.** En 753 av. J.-C., les jumeaux Romulus et Rémus posent la première pierre de la ville au pied du mont Palatin. C'est là que selon la légende ils furent allaités par la louve après avoir été sauvés des eaux du Tibre. De 715 à 509 av. J.-C., on retient l'extension de la cité par les premiers rois sabins qui recrutent leur population sur les collines voisines et le règne des Tarquins, dynastie étrusque qui développe les constructions, l'art et la culture, et pose la base des institutions politiques de Rome.

▌ **La République conquérante.** Les premiers consuls garantissent la tranquillité de la jeune République jusqu'en 390 av. J.-C. et la mise à sac de Rome par les Gaulois. Elle met-tra près de 50 ans à renaître de ses cendres pour se lancer à la victorieuse conquête de l'Italie puis du bassin méditerranéen avec notamment les guerres puniques (Hannibal et ses fameux éléphants !) qui se soldent par la destruction de la cité phénicienne de Carthage en 146 av. J.-C.

▌ **César et compagnie.** Parvenu au pouvoir après sa victoire sur Pompée (48 av. J.-C.), César gouverne en maître absolu jusqu'à son assassinat par Brutus le 15 mars 44 av. J.-C., au cours d'une séance du Sénat, dans la curie du Forum romain. Après sa mort, ses lieutenants Marc Antoine et Octave s'affrontent. Octave devient le nouveau maître de Rome en 29 av. J.-C. A son époque vivent des hommes de lettres comme Horace, Virgile ou Tite-Live.

▌ **Les dynasties impériales.** Après la mort d'Octave Auguste en 14 apr. J.-C., Tibère, puis Caligula font régner la terreur sur Rome. En 54, Néron l'excentrique monte sur le trône. Il fait construire la Domus Aurea et persécute les chrétiens accusés d'être à l'origine de l'incendie qui ravage Rome en 64. Il se suicide en 68. Il sera le dernier empereur de la dynastie des Julio-Claudiens. Lui succède celle des Flaviens (69-96) à laquelle on doit la construction du Colisée, puis celle des Antonins (96-192) qui laisse le forum de Trajan et le mausolée d'Hadrien (actuel château Saint-Ange). Règne ensuite Marc Aurèle qui combat les offensives des Barbares germaniques. Au début du IIe siècle, la dynastie des Sévères laisse notamment les thermes de Caracalla. On retient dans les décennies qui suivent le nom d'Aurélien (270-275), qui entoure la ville d'une muraille encore visible aujourd'hui, et de Constantin (306-337), fondateur de Constantinople et premier empereur à embrasser la religion chrétienne. L'an 476 marque la fin de l'empire romain et avec elle la fin de l'Antiquité et le début de l'ère médiévale.

▶ **Les papes prennent le pouvoir.** Alors que la ville est moribonde, les papes s'installent à Rome (dans le quartier de Saint-Jean-de-Latran) où ils deviennent la seule autorité. La papauté amasse des richesses et reprend progressivement à son compte l'héritage impérial et la vocation de Rome à gouverner le monde. Cette suprématie, avec l'appui des Carolingiens (pour mémoire Charlemagne règne en 800), perdure à Rome jusqu'à la Renaissance, période d'apothéose politique et culturelle pour l'Eglise. Les papes, devenus mécènes, s'installent au Vatican et lancent de vastes chantiers de construction.

© ALFREDO VENTURI - ICONOTEC

LES IMMANQUABLES

Fresque dans l'église San Gregorio.

Il s'agit de faire de Rome la cité de Dieu sur terre, rien de moins ! Raphaël, Michel-Ange et les autres sont à pied d'œuvre. Mais le protestantisme monte, qui voit en Rome une Babylone moderne, et la ville est mise à sac en 1527. L'Eglise est contrainte à la réforme, ce qui se manifeste dans l'art par le maniérisme.

Le souffle baroque. Au début du XIIe siècle, un nouveau vent artistique souffle sur l'Europe, celui du baroque et de sa démesure. Borromini, Bernin et Le Caravage sont les grands maîtres du baroque romain. Des chefs-d'œuvre comme la basilique Saint-Pierre ou la place Navona voient le jour. Dans la même lignée, le XVIIIe siècle est marqué par la construction de la fontaine de Trevi, des escaliers de la place d'Espagne et l'ouverture des musées du Capitole.

Sur la piste capitale. A l'époque napoléonienne, l'influence française sur la ville est sensible. A partir de 1848, l'Italie est touchée par les mouvements révolutionnaires (Risorgimento) et le pape Pie IX est contraint de s'exiler pour une année. Le républicain Garibaldi parvient à prendre la ville pour de courtes périodes, mais Rome reste sous la protection de Napoléon III. L'unité de l'Italie est proclamée en 1861, mais Rome ne lui est réunie que neuf ans plus tard, après la chute du Second Empire en France. Rome devient la capitale de l'Italie le 3 février 1871. Le pape n'accepte pas la nouvelle donne et s'enferme au Vatican. La population afflue et Rome passe en 30 ans de 200 000 à 600 000 habitants. La spéculation immobilière se déchaîne, de nombreux couvents sont transformés en ministères, le monument national à Vittorio Emanuele II, mastodonte qui domine la piazza Venezia, est construit.

Rome, ville des fascistes. Le 24 octobre 1922, les fascistes marchent sur Rome et Mussolini accède au pouvoir. Le nouveau régime laisse de nombreuses traces dans la ville qui compte alors un million d'habitants. De grandes allées rectilignes, la via della Conciliazione, qui relie le Tibre au Vatican, et la via dei Fori Imperiali sont construites au détriment de ruelles et de constructions moyenâgeuses rasées. Le quartier de l'EUR et les studios de Cinecittà voient le jour. Mais lors de la guerre, c'est le quartier de San Lorenzo qui est le plus fortement bombardé.

Rome aujourd'hui. La ville connaît dans les années 1950 une forte vague d'immigration et l'immobilier explose de façon désorganisée avec un manque regrettable d'espaces publics. Dans les années 1960 sont construits l'aéroport Fiumicino et la nouvelle gare Termini, le premier métro et les installations sportives qui accueillent les Jeux olympiques en 1960. Plus près de nous, on retiendra comme grande construction l'auditorium imaginé par Renzo Piano inauguré en 2002, et le plan d'aménagement urbain de 2003 (sous mandat de Walter Veltroni) qui a considérablement amélioré le quotidien des Romains.

POINTS D'INTÉRÊT

» Le Colisée

Il est à Rome ce que la tour Eiffel est à Paris, l'image d'Epinal de la ville dont la silhouette se dresse au cœur de la Rome antique. Il a fallu plus de 120 000 esclaves pour sa construction, des matériaux de première qualité comme le travertin et le tuf, mais surtout des marbres polychromes. De nombreuses équipes d'ouvriers spécialisés, d'architectes, d'ingénieurs et d'artisans ont travaillé sur différents points de manière que l'édifice grandît au fur et à mesure en longueur, largeur et hauteur. Il fait 188 m de longueur sur 155 m de largeur et plus 50 m de hauteur. A l'extérieur, près de 80 portes numérotées permettaient aux 80 000 spectateurs d'accéder selon leur condition aux quatre niveaux, tous différents, si bien que l'arène se remplissait et se vidait rapidement. C'est donc en un deuxième temps que l'on a construit les coulisses (sous Domitien), et on les a voulues souterraines. Les spectacles étaient gratuits, ils étaient offerts par l'empereur, et pas seulement pour des occasions particulières.

A partir du IVe siècle, Rome devient chrétienne et, dès le Ve siècle, on abolit les combats de gladiateurs et par la suite ceux d'animaux sauvages, car Rome n'avait plus les moyens de faire venir d'aussi loin les bêtes féroces. Dès le VIe siècle, le Colisée devient de temps à autre une forteresse. On y bâtit même des habitations et l'on y enterre aussi les morts… En 1345, un tremblement de terre fait tomber une partie de l'arène. De là, on va commencer à prendre du matériel pour construire ailleurs. De nombreux monuments romains ont été bâtis avec du matériel provenant du Colisée, comme la basilique Saint-Pierre, le palais de la Cancelleria, l'église Saint-Marc pour n'en citer que quelques-uns. C'est en 1753 que le pape Benoît XIV, qui trouvait triste de voir disparaître ce monument, va interdire l'exploitation du Colisée en prenant comme prétexte que de nombreux chrétiens y étaient morts en martyrs. Ce qui est faux dans les faits car les persécutions étaient organisées au Circus Maximus, le grand stade des courses de chars.

© AUTHOR'S IMAGE

Le Colisée.

© STÉPHANE SAVIGNARD

Le Colisée.

Mais cela a permis en tout cas de préserver l'amphithéâtre et d'organiser chaque Vendredi saint, en présence du pape, le chemin de croix. Derrière l'arène, il y avait la caserne des gladiateurs, un édifice de forme rectangulaire avec une grande cour intérieure qui contenait un petit amphithéâtre, le *ludus magnum* qui permettait aux gladiateurs de s'entraîner. Ce dernier est encore en partie visible sur la rue San Giovanni.

Ce qui subsiste garde une puissance et une harmonie grandioses. On peut monter jusqu'en haut des murs d'où l'on a un beau panorama sur Rome. Ne manquez pas non plus de vous offrir une petite escapade nocturne au pied du Colisée.

■ **COLISÉE**
Piazza del Colosseo
℡ +39 639 967 700
www.colosseo-roma.it
M° Colosseo.
Informations et réservation (pour tous les sites archéologiques) par téléphone.

Ouvert tous les jours de 8h30 à 1 heure avant le coucher du soleil. Tarif : 9 € pour l'entrée au Colisée seul. 13,50 € le ticket combiné avec la visite du Palatin, le Forum et les expositions temporaires (valable 2 jours consécutifs).Gratuit pour les moins de 18 ans et demi-tarif pour les 18-24 ans + cartes et réductions.

» Le Forum romain

Centre politique, religieux et commercial, symbole de la toute puissance de la Rome républicaine (du VIᵉ av. J.-C. au Vᵉ siècle), le Forum tel qu'il s'offre à nous est un somptueux champ de ruines au cœur de la ville. Le site se présente comme un vaste quadrilatère de 500 m de longueur sur 200 m de largeur qui, partant de son point le plus bas au pied du Capitole, monte en pente douce jusqu'au talus naturel qui relie le mont Palatin à l'Esquilin. Enrichi durant les différentes époques, le Forum fut en grande partie détruit au VIᵉ siècle, lorsque s'écroule l'Empire romain d'Occident. Seuls quelques monuments seront épargnés, transformés en églises ou en palais. Au cours des siècles, l'érosion, les inondations, les éboulements, les destructions et les tremblements de terre feront hausser le niveau du sol de plusieurs mètres, en moyenne. Les fouilles ayant commencé assez tard, le site était encore il y a 200 ans un terrain vague où broutaient les vaches. On peut aujourd'hui avec un peu d'imagination se représenter sa richesse et sa magnificence. Organisés autour de la via Sacra, qui était le passage obligé des grandes processions religieuses et des triomphes vers le Colisée, voici les monuments encore en état qui pourront vous servir de points de repère :

Le Forum romain, le Palatin et le Colisée.

© AUTHOR'S IMAGE

▶ **L'arc de Septime Sévère.** Achevé en 203, il sépare la Curie des Rostres. D'intéressants bas-reliefs célèbrent les victoires de l'empereur sur les Parthes.

▶ **La Curie.** Sur la droite, en regardant le Capitole, un bâtiment en brique, tout simple. La Curie était le siège du Sénat romain au IIIe siècle, le véritable centre du pouvoir sous la République et son centre symbolique sous l'Empire. Elle était originalement recouverte de marbres et de stucs, et son aspect actuel date du début du IVe siècle. De forme simple mais harmonieuse, elle comporte deux séries de gradins, sur lesquels étaient placés les sièges des 300 sénateurs.

▶ **Les Rostres.** En face de la Curie, une tribune en arc de cercle datant du IIIe siècle avant notre ère où les orateurs de la République, les sénateurs et les tribuns prononçaient leurs discours et défendaient leurs projets devant le peuple assemblé.

▶ **Le temple de Saturne.** Huit colonnes ioniques vous signaleront l'emplacement de ce temple, dans lequel était conservé le trésor de l'État.

▶ **La basilique Julia.** Un très vaste édifice qui borde le Forum au sud. On peut y voir, sur le pavement de marbre, des graffitis et des damiers. En remontant vers l'arc de Titus, vous passerez devant trois colonnes corinthiennes, vestiges du temple de Castor et Pollux, et devant le temple rond de Vestale.

▶ **L'arc de Titus.** Composé d'une seule arche, il fut édifié par Domitien en 81 apr. J.-C., en l'honneur de son frère et prédécesseur Titus, pour commémorer la prise et la destruction de Jérusalem.

▶ **La basilique de Maxence et Constantin.** De cet édifice gigantesque, il ne reste que la moitié nord. Ce fut le siège de la préfecture au début du IVᵉ siècle. S'y trouvait la colossale statue de Constantin dont il ne reste que la tête et une main dans la cour du palais des Conservateurs.

▶ **Le temple d'Antonin.** Dédié en 141 apr. J.-C. par Antonin le Pieux à son épouse Faustine, ce temple fut transformé en église au VIIIᵉ siècle, ce qui lui valut de conserver intactes les dix immenses colonnes de sa façade.

■ **FORUM ROMAIN**
Via dei Fori Imperiali
✆ +39 639 967 700
M° ligne B Colosseo, bus 30, 44, 60, 81, 85, 87, 186.
Ouvert tous les jours de 8h30 à 1 heure avant le coucher de soleil, fermé le 1ᵉʳ janvier et 25 décembre. Entrée : 13,50 € (comprise avec le billet pour le Colisée et le Palatin).

» La place du Capitole et ses musées

Le Capitole fut la forteresse naturelle de Rome. Sa position stratégique au cœur des voies de communications terrestres et fluviales, dominant d'un côté le Tibre et de l'autre la vallée du Forum, permettait aux Romains de contrôler la traversée et la remontée du fleuve. Véritable cœur de la cité antique et haut lieu de la vie politique, le Capitole a vu défiler près de 2 500 ans d'histoire. De tout temps, siège de l'administration de la ville (la mairie y demeure encore aujourd'hui), le Capitole était aussi le centre religieux de l'ancienne Rome, car il accueillait le temple de Jupiter Capitolin dédié à Jupiter, Junon et Minerve.

L'aspect actuel de la place est dû à Michel-Ange qui en a dessiné les plans en 1536 à la demande du pape Paul III. Il parvint à créer une illusion

Piazza del Campidoglio, statue équestre de Marc Aurèle par Michel-Ange.

© STÉPHANE SAVIGNARD

de grandeur dans cet espace assez réduit qui présente une unité de style assez rare à Rome. La statue équestre de Marc Aurèle trône en son centre. Ses palais abritent aujourd'hui les musées du Capitole et leurs très belles collections de statues antiques grecques, étrusques, égyptiennes ou romaines (comme la fameuse louve allaitant Romulus et Remus) et de peintures (Véronèse, Rubens, Titien, le Caravage…). Leur visite demande une bonne demi-journée. Les musées du Capitole furent créés en 1471, quand le pape Sixte IV donna au peuple romain un groupe de statues en bronze de grande valeur. Cela en fait, dans sa partie la plus ancienne, le plus vieux musée public du monde. Les collections ont aujourd'hui toutes un lien très étroit avec la ville de Rome. Elles se répartissent dans le palais des Conservateurs, d'origine antique et transformé en 1570 sur un projet de Michel-Ange, et dans le palais Neuf, inauguré en 1654.

Dans la cour intérieure du palais des Conservateurs, on verra des fragments de la statue colossale de Constantin, installée à son origine dans la basilique de Maxence du Forum romain, dont les dimensions sont exceptionnelles (tête 2,60 m, pied 2 m). On ne manquera pas de passer dans la salle des Conservateurs, où fut signé le traité de Rome en 1955, avant d'aller rendre visite à la statue de la louve capitoline allaitant Remus et Romulus. A ce sujet, des analyses récentes ont démontré qu'elle ne datait pas des Etrusques, comme on l'a longtemps

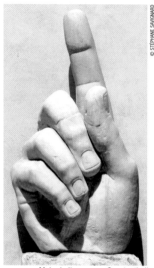

Main de l'empereur Constantin II au palais des Conservateurs.

supposé, mais du IIe ou IIIe siècle de notre ère. On verra également l'original de la statue équestre qui se trouve sur la place avant de rejoindre au 2e étage la pinacothèque et ses toiles du XVe au XVIIIe siècle dont la fameuse *La Diseuse de bonne aventure* du Caravage. Dans le palais Neuf, auquel on accède par une galerie souterraine passant sous le Capitole d'où l'on jouit d'une très belle vue sur le Forum, on verra des sarcophages romains, des mosaïques, des sculptures et des éléments de l'histoire politique de Rome comme la *Lex Imperio Vespasiani*, texte gravé dans le bronze qui rapporte la décision du Sénat de porter Vespasien au pouvoir.

LES IMMANQUABLES

© STÉPHANE SAVIGNARD

L'escalier hélicoïdal des musées du Vatican.

■ MUSÉES DU CAPITOLE
Piazza del Campidoglio 1
✆ +39 06 06 08
www.museicapitolini.org
info.museicapitolini@comune.
roma.it
M° Colosseo.
Ouvert de 9h à 20h du mardi au dimanche (dernière entrée : une heure avant la fermeture). Fermé le lundi, le 1ᵉʳ janvier, le 1ᵉʳ mai et le 25 décembre. Ouvert de 9h à 14h le 24 et le 31 décembre. Entrée (musée + exposition) 12 €, 10 € réduit. Audioguide 5 €.

■ PLACE DU CAPITOLE
Capitole
M° Colosseo.

>> Les musées du Vatican

Au XVᵉ siècle, le Vatican est devenu la résidence habituelle des papes de retour d'Avignon. Il le restera jusqu'à nos jours, bien qu'aux XVIIIᵉ et XIXᵉ siècles, les papes aient préféré le Quirinal et qu'ils aient transformé partiellement le Vatican en musée. « Quelles solitudes de chefs-d'œuvre ! » s'écria Chateaubriand lorsqu'il visita le Vatican. Les choses ont bien changé. Les chefs-d'œuvre sont toujours là, mais leurs solitudes sont meublées de foules de touristes avides de culture.

La partie du Vatican que l'on visite correspond, pour l'essentiel, aux palais construits au cours des siècles par les papes de la Renaissance à nos jours. C'est un ensemble très composite formé de deux palais réunis par deux longues galeries. On peut schématiquement partager le Vatican en musées d'une part, et en appartements pontificaux et chapelle Sixtine de l'autre. Grosso modo, les musées sont dans le palais du Belvédère, dans les galeries qui joignent les deux palais et dans le bâtiment séparé de la pinacothèque. Les appartements pontificaux et la chapelle Sixtine se trouvent dans le Vatican proprement dit, proche de la place San Pietro. Le musée d'Art religieux moderne se trouve sous la chapelle Sixtine.

Enrichis pendant des siècles par des collectionneurs et des commissions papales, les musées présentent une grande collection d'œuvres d'art anciennes grecques et romaines, dont le Vatican est le plus grand propriétaire au monde, ainsi que des œuvres d'art égyptiennes, étrusques, sans oublier les grandes œuvres de la Renaissance, telles que les fresques de la chapelle Sixtine peintes par Michel-Ange (et aussi Boticelli), celles de la chapelle de Nicolas V peintes par Fra Angelico et les Stanze de Raphaël. Parmi toutes ces merveilles, la visite de la chapelle Sixtine est bien sûr l'un des points d'orgue du parcours artistique romain. Après 20 ans de restauration, elle a retrouvé sa splendeur et ses couleurs d'origine (elle fut réalisée entre 1471 et 1484). Elle doit sa célébrité à son plafond peint par Michel-Ange qui représente des épisodes bibliques et à sa fresque du *Jugement dernier*, une œuvre démesurée de plus de 13 m de largeur qui orne le mur de l'autel.

Attention : en pleine haute saison touristique, attendez-vous à au moins 1 heure, voire 1 heure et demie, de queue. En général, on commence à faire la queue dès 8h du matin. Nous vous conseillons de visiter la chapelle Sixtine et les chambres de Raphaël tôt le matin ou vers midi, ou encore en basse saison. Vous pouvez tenter les visites gratuites du dernier dimanche du mois et du 27 septembre, mais sachez que l'ambiance est à l'étouffement général… Parfois le nombre de visiteurs est tel qu'on ne peut plus avancer.

Collection des musées du Capitole.

■ **MUSÉES DU VATICAN
ET LA CHAPELLE SIXTINE**
Viale Vaticano
℡ +39 669 884 676
www.vatican.va
Accès : M° ligne A, stations
Ottaviano San Pietro ou Cipro
Musei Vaticani. Bus 49.
*En général, l'entrée se fait de
8h30 à 16h, les musées ferment à
18h. Tarif : 15 €. Réductions (8 €)
pour les jeunes de moins de 22 ans,
enseignants, pèlerins, religieux !
Gratuit pour les enfants de moins de
6 ans. Gratuit le dernier dimanche
du mois (de 9h à 12h30) et le
27 septembre (jour international du
tourisme).*

Fontaine de Trevi.

© AUTHOR'S IMAGE - PHILIPPE GUERSAN

» La fontaine de Trevi

Ah, la fameuse scène de *La Dolce
Vita* ! On a beau l'avoir vu sur toutes
les cartes postales de la ville, l'arrivée
devant ce monument a quelque chose
de magique. Une fontaine se trouve
à cet endroit depuis l'an 19 av. J.-C.
lorsqu'on fit construire l'aqueduc
dit de l'Acqua Vergine (eau vierge),
dont la source se trouve à 40 km
de Rome. La fontaine actuelle est
l'œuvre de l'architecte Nicola Salvi.
Elle fut inaugurée sous Clément XIII,
en 1762. Selon la tradition, si l'on
jette dans la fontaine, par-dessus
l'épaule, deux pièces de monnaie,
on peut espérer un prompt retour à
Rome et la réalisation d'un vœu. Pour
la petite histoire, un clochard avait
coutume de ramasser la monnaie
sous la bienveillance générale, mais
la tradition a été rompue par l'actuel
maire de Rome.

Décorée par de nombreux artistes de
l'école de Bernin, la fontaine prend
appui sur la façade du palazzo Poli
(qui abrite l'Institut national des
arts graphiques), sur la petite place
de Trevi. Statues et bas-reliefs
semblent perchés au-dessus de
masses rocheuses d'où l'eau jaillit
de tous côtés. Ils relatent l'histoire
de la fontaine et de son aqueduc.
Au centre de la fontaine se trouve
la statue d'Océan entourée de
deux allégories, celles de l'abon-
dance et de la santé qui ne vont
pas sans l'eau. Une occasion
de vous rappeler que celle de
Rome est absolument potable
et délicieuse.

Le Panthéon.

■ FONTAINE DE TREVI
Piazza di Trevi
M° ligne A, station Barberini. Bus 52, 53, 61, 62, 81, 85, 116, 119, 175.

» Le Panthéon

Sur la charmante piazza della Rotonda se dresse ce temple érigé sous Auguste pour honorer les dieux Mars et Vénus dont les amours terrestres donnèrent naissance aux jumeaux Rémus et Romulus, fondateurs de la ville. C'est probablement l'édifice antique (118-125) le mieux conservé de la ville, malgré les quelques changements qu'il connut au cours des siècles. Devenu panthéon de tous les dieux romains sous Hadrien, il est transformé en église par le pape Boniface IV. Urbain VIII Barberini, grand pilleur de monuments antiques, fit fondre les plaques de bronze qui ornaient son plafond pour en faire le baldaquin de Saint-Pierre. Enfin, Bernin l'affubla de deux clochers baroques (fort heureusement démolis depuis) que les Romains avaient qualifiés d'« oreilles d'âne de Bernin » !

Le pronaos par lequel on pénètre dans le temple est formé de 16 colonnes monolithes en granit. Sa coupole, dont les proportions parfaites laissent encore perplexes ingénieurs, architectes et archéologues, s'élève à 43,30 m du sol pour un diamètre de 43,30 m. Elle est formée de cinq rangs de caissons concentriques et se termine par un vaste puits de lumière. Aussi rectangulaire à l'extérieur que sphérique à l'intérieur, le Panthéon abrite notamment la tombe des rois Vittorio Emanuele Ier et Umberto Ier, et du peintre Raphaël.

■ PANTHÉON
Piazza de la Rotonda
Accès : bus 40 et 64, arrêt Largo di Torre Argentina.
Ouvert de 8h30 à 19h30, le dimanche de 9h à 18h et les jours fériés de 9h à 13h. Fermé le 25 décembre, le 1e janvier et le 1er mai. Entrée libre.

LES IMMANQUABLES

15

» La place Campo dei Fiori et son marché

Sur cette petite place et dans les ruelles adjacentes, on respire un je-ne-sais-quoi d'insolite, mélange d'histoire et de « romanité ». Le Campo dei Fiori est l'un des lieux les plus agréables de la capitale, bordé par de charmantes vieilles maisons et accueillant tous les matins (sauf le dimanche) le plus célèbre marché de Rome. Son origine remonte à la fin du Moyen Age, alors que l'endroit n'était encore qu'une vaste prairie (le « champ de fleurs » qui lui a laissé son nom). On y trouve fruits et légumes, poissons, fromages, charcuterie, fleurs, ainsi que toutes les spécialités romaines et italiennes. C'est un marché qui s'est adapté à une clientèle plus touristique que locale, les prix pratiqués sont donc un peu plus élevés que sur d'autres marchés, mais les couleurs, les parfums et les accents pittoresques qui s'y déploient sont un vrai bonheur. Le soir venu, les lieux prennent un air festif, rythmés par les va-et-vient vers les nombreux bars, restaurants et trattorias du quartier. Au centre de la place se dresse la statue de Giordano Bruno, un moine philosophe brûlé là durant l'Inquisition, auquel le pouvoir italien de 1870 voulut rendre hommage, comme un défi à la papauté. De nombreux jeunes aiment à s'y regrouper pour parler, draguer ou boire des bières dans une version très contemporaine de *La Dolce Vita*. A deux pas de là, ne manquez pas de vous rendre sur la place Farnèse, où le superbe palais du même nom abrite l'ambassade de France.

■ MARCHÉ DE LA PIAZZA CAMPO DEI FIORI

Accès : bus 40 et 64.
Ouvert tous les matins, sauf le dimanche.

» La piazza Navona

Romains et touristes aiment se promener sur cette place baroque monumentale qui fut autrefois le stade de l'empereur Domitien (86 apr. J.-C), dont la forme oblongue (276 m de

Marché de la piazza Campo dei Fiori.

Fontaine des Quatre Fleuves bâtie par Le Bernin, Piazza Navona.

Navona toute sa sérénité. A chaque extrémité de la place, la fontana dell' Nettuno, au nord, et la fontana del Moro datent de la fin du XVIᵉ siècle. Au sud-ouest de la place, on trouve sur la petite piazza di Pasquino la célèbre statue parlante de Pasquino, du nom d'un artisan romain qui avait l'habitude de coller des mots de satire politiques, en rimes, sur le socle de la statue. C'est encore aujourd'hui un lieu d'expression, de doléance et de revendication puisque les Romains viennent toujours y coller des *pasquinade*.

■ PIAZZA NAVONA

Piazza Navona
Accès : bus n° 87 du Colisée ou n° 492 de la piazza Barberini, et n° 70 de Termini.

›› La basilique Saint-Pierre-de-Rome

Que l'on soit catholique ou non, tout passage à Rome implique une promenade dans la cité du Vatican. La magnifique place Saint-Pierre, terminée en 1668 sous le pape Alexandre VII, est l'un des chefs-d'œuvre de Bernin, conçue comme deux énormes bras qui embrassent la ville et amènent les pèlerins à la basilique. Au centre, un obélisque égyptien ramené à Rome sous Caligula et, de chaque côté, deux magnifiques fontaines du XVIIᵉ siècle. La place, entourée par une forêt de colonnes et surmontée par plus de 140 statues fait près de 300 m de largeur. Il a fallu près de 162 ans pour bâtir l'église et la place Saint-Pierre.

longueur sur 54 m de largeur) a été conservée. Ils s'installent autour des fontaines, des kiosques, sur les terrasses des cafés, vont et viennent dans les ruelles avoisinantes, léchant les vitrines des antiquaires ou des créateurs de mode, reviennent encore se prendre au charme des musiciens, des diseuses de bonne aventure, des clowns et autres artistes peintres. Au centre de la place se trouve la *Fontaine des Fleuves*, œuvre de Bernin achevée en 1651 qui représente le Danube, le Gange, le Río de la Plata et le Nil. Le maître du baroque, Francesco Borromini, conçut l'église de Sant'Agnese in Agone, œuvre tout aussi splendide et emblématique des lieux. Coiffée d'un dôme et flanquée de deux campaniles, sa façade concave confère à la piazza

LES IMMANQUABLES

17

© AUTHOR'S IMAGE - PHILIPPE GUERSAN

La nef de la basilique Saint-Pierre.

L'intérieur de la basilique, aux proportions démesurées mais parfaites, est une pure merveille avec des œuvres de Bernin (dont le baldaquin en bronze haut de 30 m qui indique le lieu où est enterré saint Pierre), une mosaïque réalisée par Giotto ou encore la *Pieta*, chef-d'œuvre de Michel-Ange, de nombreuses sortes de marbre et un plafond doré à l'or fin. La splendide coupole de Michel-Ange qui mesure 136 m de hauteur et 42 m de diamètre reste à ce jour le plus haut dôme du monde. Derrière l'église Saint-Pierre, ne pas manquer les superbes jardins du Vatican.

■ **BASILIQUE
SAINT-PIERRE-DE-ROME**
Piazza San Pietro
M°Ottaviano (ligne A). Bus
n° 62 de la piazza Barberini, piazza Venezia, du largo Argentina, corso Vittorio Emanuele. Descendre au terminus (arrêt Borgo Angelico).

Basilique ouverte de 7h à 19h (jusqu'à 18h30 l'hiver). Coupole. A droite de la basilique. Entrée gratuite. Ouvert de 7h30 à 17h (jusqu'à 18h en été). Entrée : 7 € (avec ascenseur + 320 marches) et à pied 5 € (dans ce cas, il faudra monter 551 marches). Horaires d'entrée : de 8h à 17h (16h en hiver).

» Les ruelles du Trastevere

On aime flâner dans les ruelles colorées aux façades décrépies couvertes de lierre et de jasmin, s'attabler en terrasse à l'heure de l'apéritif, visiter les petites églises, s'asseoir autour des fontaines, prolonger le dîner. En raison de son origine populaire, le Trastevere a gardé quelque chose de plébéien et de festif. A Trastevere, les restaurants, les trattorias, les pubs, les magasins ne manquent pas… Il y en aurait même un peu trop et l'ambiance est quasi chaotique.
Le Trastevere est longtemps resté un quartier à part de la ville. Aux origines de la République, la rive droite du Tibre était un pays étrusque et donc ennemi. Attirés par le développement de la ville, les étrangers venaient y camper, juifs et Syriens en particulier, qui en firent bientôt un quartier de commerçants. L'empereur Auguste incorpora la banlieue à la ville puis Aurélien l'engloba dans les murs du IIIe siècle. Pourtant, les vestiges de bâtiments officiels de la Rome antique y sont rares. Ici, pas de grands monuments, tout le charme est dans l'atmosphère pittoresque, avec le linge suspendu aux fenêtres, dans les lumières dorées. Même si

l'implantation de nombreux étrangers lui a fait perdre un peu de son authenticité, une balade ou une soirée dans le Trastevere reste un grand moment du séjour romain.

▶ **Accès :** tram 8, bus 23, 280, 780, H.

›› La piazza di Spagna

La piazza di Spagna est l'un des lieux les plus animés de Rome. Touristes et Romains, surtout les jeunes, s'y côtoient. Sa station de métro dessert aussi bien le parc de la villa Borghèse que le quartier des boutiques et des restaurants les plus chics de la capitale. La piazza di Spagna tient son nom de l'ambassade d'Espagne qui fut la première représentation diplomatique étrangère de la ville au XVIIe siècle. C'est un superbe espace urbain composé d'une place triangulaire, de la fontaine de la Barcaccia attribuée à Bernin, et des

fameux escaliers à trois niveaux de l'architecte Francesco De Sanctis (1726) qui arpentent la colline jusqu'à l'église de La Trinité-des-Monts. Du haut des 138 marches, la vue sur la place et les rues environnantes est exceptionnelle. L'escalier n'est pas construit dans l'axe de la place ou de la via Condotti qui se trouve juste en face. Cela favorise la perspective libre et permet d'avoir une vue différente selon l'endroit où l'on se trouve. Artistes et intellectuels ont toujours affectionné ce quartier où vécurent notamment les poètes britanniques Keats, Shelley et Byron. Tous les ans au printemps, l'escalier est couvert de fleurs et, au mois de juillet, il devient le théâtre d'un défilé de mode très connu en Italie. Un conseil : admirez-le depuis la place, c'est vu de bas en haut qu'il est le plus élégant.

■ PIAZZA DI SPAGNA
Piazza di Spagna
Accès : M° ligne A, station Spagna.
Bus 117, 119.

›› La galerie Borghèse

Au cœur des magnifiques jardins de la villa Borghèse, cette célèbre galerie abrite l'une des plus belles collections européennes d'œuvres de la période classique et de la Renaissance. Imaginé par le cardinal Scipione Borghese (1579-1633), neveu du pape Paul V, qui voulait un abri pour sa collection privée, le musée a subi une amputation désastreuse en 1807 lorsque de nombreuses œuvres furent vendues à Napoléon par Camille Borghèse, mari de Pauline Bonaparte.

© AUTHOR'S IMAGE

Dans le quartier du Trastevere

Sofitel Rome Villa Borghese.

Il reste néanmoins des pièces exceptionnelles de Raphaël (*Dame à la licorne*), Titien (*Amour sacré et Amour profane*), Le Caravage (*Saint Jérôme, Jean-Baptiste dans le désert, David avec la tête de Goliath*), Corrège (*Danaé*) ou encore Bernin (*David, Apollon et Daphné, L'Enlèvement de Proserpine*), Rubens (*Susanne et les vieux*) et Canova (*La Vénus conquérante, Pauline Borghèse*). Attention, le temps de visite est limité à deux heures et les réservations sont obligatoires.

■ **GALERIE BORGHÈSE**
Piazzale del Museo Borghese
5 villa Borghese – Villa Borghese
℅ +39 06 328 10
www.galleriaborghese.it
Ouvert du mardi au dimanche de 9h à 19h (dernière entrée à 16h30) avec système de rotation toutes les deux heures pour un maximum de 360 visiteurs. Réservation obligatoire. Pour réserver : www.ticketeria.it ℅ +39 06 32 810. Fermé le lundi. Les billets réservés doivent être retirés 30 minutes avant la visite. Entrée : 8 € + 2 € frais de réservation.

RESTOS

Hum ! les pâtes, les pizzas, les glaces et *tutti quanti*... On en salive d'avance. Les Italiens sont fiers de leur cuisine, d'ailleurs on trouve à Rome très peu de restaurants de spécialités étrangères. A n'en pas douter, la gastronomie italienne est une attraction presque aussi forte pour les visiteurs que la Fontaine de Trevi et le Colisée. Impossible de rester indifférent à la bonne odeur d'huile d'olive, à l'onctuosité de la mozzarella... Vous allez vous régaler ! En en plus, comme vous passerez la journée à battre le pavé romain, les kilos superflus n'auront même pas le temps de s'installer !

▶ **Petit précis d'histoire gastronomique.** La cuisine romaine s'est très souvent inspirée d'influences extérieures, une pratique qui date de l'Empire romain et de ses nombreuses possessions, de l'Atlantique à l'Orient. Au fil des siècles, elle s'est affinée pour prendre une réelle personnalité. La cuisine romaine traditionnelle est connue comme *cucina povera*, « la cuisine du pauvre », simple mais savoureuse, basée sur les restes et les abats. Le succès de ses plats est assuré par des ingrédients de base dans les sauces et les accompagnements : huile d'olive, ail, oignons, romarin, basilic, persil, piment, menthe, origan, laurier, fenouil, sauge, roquette, mais aussi cannelle ou autres épices. La cuisine judéo-romaine est également de grande tradition, grâce à la présence d'une communauté juive pluriséculaire à Rome.

▶ **Restaurant mode d'emploi.** Le repas de midi (*pranzo*) était autrefois un véritable et complet déjeuner mais, de plus en plus, il s'est réduit à un panino, une part de pizza ou autre, pourvu que ce soit rapide et bon (eh oui, les rythmes de vie changent aussi

dans l'Europe du Sud !). De fait, les Italiens fréquentent les restaurants surtout le soir. La tradition dans le sud de l'Italie est de manger assez tard, et vous verrez les Romains s'attabler plutôt vers 21h, voire 22h. Les restaurants, pizzerias, etc., ouvrent leurs portes vers 12h pour le déjeuner (*pranzo*), ils font une pause de 15h à 18h et ils terminent le service vers 23h. Certains restaurants ouvrent seulement le soir, beaucoup ferment le dimanche et le lundi et au mois d'août (*chiuso per ferie*). Un cauchemar pour les touristes ! *Prenotazione* (réservation) quasi indispensable.

▶ **Le menu italien classique** se compose de plusieurs étapes pour des festins souvent pantagruéliques : *antipasti* (l'entrée), *primo piatto* (pâtes ou risotto), *secondo piatto* (viande ou poisson) et dessert.

© AUTHOR'S IMAGE - PHILIPPE GUERSAN

Les établissements se sont toutefois adaptés aux goûts touristiques et vous pourrez composer le repas à votre gré, ou opter pour la formule œnothèque, ces bars à vins extrêmement populaires où la dégustation des meilleurs crus s'accompagne d'assiettes de charcuterie, de fromages, parfois d'assiettes de pâtes ou de salades.

▌ **Parmi les spécialiés culinaires** citons du côté des antipasti les *suppli alla romana* (boulettes de riz plongés dans la friture), les beignets de fleur de courgette, les légumes (poivrons, courgettes) grillés et marinés à l'huile d'olive, la charcuterie (coppa, bresaola, pancetta) et les recettes typiques de la cuisine juive à base d'artichaut ; du côté des pâtes, les *bucatini all'amatriciana* (sauce tomate pimentée agrémentée de petits dés de lard, avec beaucoup de fromage de brebis râpé), les *gnocchi* (à la farine de pomme de terre), les *linguine* aux fruits de mer ; pour les plats la *coda alla vaccinara* (queue de bœuf), les tripes à la romaine et les *saltimbocca* (escalopes de veau roulées dans une tranche de jambon cru avec de la sauge ciselée et cuites dans du vin blanc) ; en dessert enfin, l'incontournable tiramisu bien sûr.

▌ **Et la pizza dans tout ça ?** Bien que née à Naples, la pizza romaine mérite un paragraphe. Elle se distingue de son aînée napolitaine par une pâte beaucoup plus fine et légère. Elle est bien sûr servie dans des pizzerias (les puristes ne la mangent que le soir), mais nous vous conseillons plutôt de la déguster comme en-cas dans une pizzeria *al taglio*, la vraie spécialité romaine en la matière. Les pizzas, que l'on peut déguster sur place ou à emporter, y sont présentées en version extra-longue et découpées en part à la demande avec un prix calculé en fonction du poids. Pizzas aux anchois, aux champignons, aux artichauts, au jambon, aux courgettes, aux aubergines... toutes sont délicieuses, surtout lorsqu'elles viennent de sortir du four.

▌ **Comment s'y retrouver ?** Rome est remplie de restaurants, pizzerias, *trattorie*, *osterie*, *tavole calde*, il n'est pas facile de s'y repérer avec tout ce choix... En général, un restaurant présente une ambiance et un décor plus soignés et un menu plus ample, ce qui peut se répercuter sur l'addition finale... En revanche, la *trattoria* ou *osteria* a une ambiance plus familiale, un décor plus spartiate, et offre souvent un menu avec cuisine typique et plats du jour (parfois sans même une carte, c'est le gérant qui l'annonce de vive voix !) et des prix plus abordables. Un repas (primo + secondo + contorno + bouteille de vin) peut aller de 20 à 30 € dans une *trattoria* typique et jusqu'à plus de 60 € dans un bon restaurant. Pour manger de façon plus économique, il vous suffit d'entrer dans un café, ou une *tavola calda*, pour commander un panino ou vous régaler d'une part de pizza *al taglio*. Le soir, les fêtards pourront aussi profiter des formules apéritives offertes dans certains bars, avec accès à volonté à un buffet pour toute consommation.

SHOPPING

Que vous rêviez du kitchissime Colisée sous la neige, d'un bel objet ancien ou d'une très chic petite robe de créateur à ramener de votre séjour, Rome se révèle une excellente destination shopping. Outre ses nombreux étals et magasins improvisés à proximité des grands sites touristiques, on trouvera dans la capitale tous les grands noms de couturiers, italiens et étrangers, de nombreux antiquaires, librairies, épiceries fines, sans oublier les marchés, chaque quartier ayant plus ou moins sa spécialité. Pour l'artisanat, rendez-vous aux alentours du Panthéon, du Campo dei Fiori et de la place d'Espagne. Les boutiques sont nombreuses sur la via dei Sediari, via del Teatro Valle et via dei Cestari, spécialisées dans la fabrication de corbeilles et de chaises en osier et qui proposent un vaste choix de produits en lin et d'autres tissus. Si vous aimez flâner dans les magasins rétro et les boutiques traditionnelles romaines, les lieux tels que la via della Maddalena, via della Stelletta, piazza Argentina et via delle Botteghe Oscure sauront aussi vous contenter tandis qu'en décembre le fameux marché de Noël près de la place Navona s'impose (pour peu que vous ne soyez pas claustrophobe). Quelques magnifiques (mais onéreuses) boutiques d'antiquaires se trouvent sur la via Giulia, derrière le palais Farnèse (plus connu comme le siège de l'ambassade de France). Cette rue, riche en boutiques, avec d'abondantes sélections d'objets antiques et artistiques, est l'une des rues les plus fascinantes de Rome. On trouve également de belles pièces dans les ruelles autour de la piazza Navona tandis que la via del Babuino et la via Margutta (près de la place d'Espagne) sont considérées comme les rues du quartier des peintres qui, jusqu'en 1960, y tenaient leurs ateliers et boutiques. Il s'agit aujourd'hui du lieu de rendez-vous des amateurs d'expositions d'art, dont les nombreux et réputés magasins débordent de merveilles. Rome, c'est aussi bien sûr un temple de la mode. Le quadrilatère délimité par la via del Corso, la via del Balbuino, la via della Vite et la place du Peuple offre les principales boutiques de luxe et de prêt-à-porter du centre.

Shopping via Condotti.

© AUTHOR'S IMAGE - PHILIPPE GUERSAN

Un mélange de styles (et de prix !) se côtoie harmonieusement, et le point de rassemblement se trouve être les fameux escaliers de la place d'Espagne, qui abrite d'ailleurs les boutiques de luxe de renom international comme Missoni, Dolce & Gabbana, Sergio Rossi, Genny, Rocco Barocco, Krizia.

Via Condotti, on retrouve d'autres grands noms de la couture italienne comme Armani, Valentino, Cartier, Bulgari, Hermès, Gucci, Ferragamo, Prada, Alberta Ferretti, Iceberg, Max Mara. La Via Borgogno abrite, quant à elle, Gianfranco Ferrè, Moschino, Calvin Klein, Givenchy, Gay Mattiolo, Laura Biagiotti, Fendi, Diego Della Valle.Non loin de la via Veneto, un autre itinéraire shopping peut commencer à la piazza Fiume (avec le grand magasin Rinascente, ouvert de 9h à 22h) d'où il est possible de poursuivre par la via Salaria et la via Po. On y trouve de nombreux magasins de vêtements, de chaussures, alimentaires, ainsi que des articles pour la maison, à des prix plus intéressants que dans le centre historique.

La via del Corso, qui s'étend de la place du Peuple à la piazza Venezia, est caractérisée par une suite de magasins de mode et d'accessoires bon marché très appréciée de la jeunesse romaine, de même que la via Cola di Rienzo du côté du Vatican. Pour des vêtements de créateurs, cherchez votre bonheur dans les rues adjacentes au Campo dei Fiori et à la piazza Navona, ou mieux encore dans le quartier de Monti. Dans les environs de la basilique Saint-Jean-de-Latran (piazzale Appio), on trouve le grand magasin Coin. C'est là que

Bons plans mode d'emploi

En dehors de la période des soldes (janvier et juillet), si vous vous voulez faire de bonnes affaires, privilégiez les marchés. Celui de la via Sannio (quartier de San Giovanni in Laterano) pour les fripes, chaussures et vêtements bon marché, manteaux de seconde main, vestes en cuir... Dans le même genre, le marché aux puces de Porta Portese (le dimanche matin dans le quartier du Trastevere), l'un des plus grands marchés aux puces d'Europe. Pour les chaussures, faites un tour au marché du matin dans le quartier de Testaccio près de Piramide. Il s'agit d'un marché extérieur de fruits et légumes frais à Piazza dell'Emporio où plusieurs étalages sont toutefois réservés à la vente de chaussures pour femme à très bon prix.

Autre piste très intéressante, celle des outlets, ces magasins qui déstockent les invendus des collections de grandes marques des années précédentes. Les gros outlets se trouvent à l'extérieur de la ville, mais on en trouve aussi quelques-uns dans le centre.

© AUTHOR'S IMAGE – PHILIPPE GUERSAN

SORTIR

Comme toutes les grandes capitales, Rome s'enorgueillit d'être le moteur des nuits italiennes. La ville dispose d'un grand nombre de bars, de discothèques et de pubs, d'une foule de lieux accueillant les événements culturels, sans compter les manifestations estivales et l'animation bon enfant qui règne autour des places lorsque les températures sont douces. Rome peut donc très bien s'envisager comme destination noctambule.

L'offre de lieux de sortie étant immense, il faut savoir dénicher les bonnes adresses. D'abord, le Campo Marzio, entre les places Navona et Campo dei Fiori, concentre de nombreux bars, pubs et cafés où jeunesse romaine et touristes se mêlent. Dans ce coin, nos coups de cœur sont allés au très bohème Antico Caffé della Pace et au très électro Fluid, tout deux du côté de la piazza Navona. Si vous vous trouvez du côté du Colisée, dirigez-vous plutôt du côté d'un pub irlandais, très apprécié des jeunes Romains comme des expatriés. Ensuite, le Trastevere rassemble des établissements plus originaux, peut-être moins touristiques, avec pas mal de concerts proposés et une clientèle de Romains des plus simples aux plus branchés, encore des touristes (mais moins nombreux) et les résidents étrangers (qui ont fait de ce quartier leur lieu de résidence et d'activité préféré). Un bon exemple de ce type de lieu est le bar Frene y Frizzioni.

débute la via Appia Nuova, une rue commerçante riche en magasins en tout genre de Sabbatini à Teichner et Leam, qui vendent des marques prestigieuses, comme Prada et Gucci, ou encore Benetton et Cisalfa. Les magasins de chaussures sont tout particulièrement remarquables. En Italie, tailles et pointures sont équivalentes aux tailles françaises.

Enfin, les marchés de Rome valent le détour. Que vous logiez dans le centre ou en périphérie, ne manquez pas d'aller faire un petit tour dans le marché de votre quartier. Ils sont ouverts tous les jours, jusqu'en début d'après-midi (sauf le dimanche), et deux ou trois fois par semaine, toute la journée. En effet, le commerce de proximité est encore très présent, et la plupart des ménages se fournissent au marché. Les poissons sont fantastiques, la charcuterie et les fromages appétissants, les légumes de saison et les fruits tout juste cueillis.

Où déguster les meilleures glaces ?

Les glaces artisanales italiennes qui n'ont, rappelons-le, rien à voir avec les glaces italiennes telles que nous les connaissons en France sont tout simplement succulentes. Dans les quartiers touristiques, on trouve un glacier (*gelateria*) pratiquement à chaque coin de rue. Chacun a sa spécialité. On ressort rarement déçu, mais certaines adresses sont incontournables. Voici la liste des meilleurs établissements qui se disputent dans le cœur des Romains le titre très convoité de meilleur glacier de la ville. La plupart se trouvent dans le quartier du Panthéon.

■ FIOCCO DI NEVE
Via del Pantheon, 51
✆ +39 06 678 6025

■ GIOLITTI
Via degli Uffici del Vicario, 40
✆ +39 06 699 1243

■ IL GELATO DI SAN CRISPINO
Via della Panetteria, 42
✆ +39 06 679 3924

Fréquentez enfin les quartiers du Testaccio et d'Ostiense pour les boîtes et les bars les plus originaux ou branchés, car c'est là que s'affiche la densité la plus forte de discothèques. N'oubliez pas non plus de passer une soirée dans le quartier alternatif, tendance contestataire, de San Lorenzo, le fief étudiant de la ville. Si vous tenez absolument à ne pas vous tromper, achetez *La Repubblica* le jeudi, vous y trouverez l'excellent supplément hebdomadaire *Trova Roma*, qui publie le programme des festivités pour toute la semaine à venir, ou encore le *Roma c'è* (www.romace.it), équivalent de *L'Officiel des spectacles* ou du *Pariscope*, qui paraît tous les vendredis au prix de 1 €. Vous pouvez également consulter le site www.2night.it

La soirée romaine commence à l'heure de l'apéritif que vous pourrez souvent prendre en terrasse. La pratique est assez récente à Rome, venue du nord de l'Italie depuis quelques années seulement. Aujourd'hui, de nombreux bars de Rome proposent même une formule « aperitivo », sorte d'happy hour à la mode milanaise, qui consiste à accéder à un buffet à volonté pour toute boisson consommée. Le contenu et la qualité de ces buffets sont assez variables, mais la formule est imparable pour séduire les budgets les plus serrés qui économisent ainsi le coup d'un repas au restaurant. L'autre alternative consiste à passer le début de soirée dans une œnothèque, autrement dit un bar à vins, où l'ambiance est souvent un peu plus chic et plus cosy que dans les bars classiques. Le concept est un choix intéressant de bonnes étiquettes que vous pouvez prendre au verre (plus cher et moins de choix) ou en bouteille. La plupart proposent aussi des petits plats qui se résument en général à de la charcuterie et du fromage.

Après dîner, les options sont multiples. Boire un verre dans un bar branché avant d'aller se trémousser en discothèque (dans le Testaccio ou à Ostiense), sur des beats techno, des rythmes rock ou latino, des douze coups de minuit jusqu'au petit matin, dénicher un petit concert (ou un plus gros au Villagio Globale du Testaccio) ou assister à un set de jazz à l'excellent Alexanderplatz (du côté du Vatican), ou, plus chic encore,

profiter d'une pièce de théâtre ou d'un opéra dans l'une des nombreuses salles de la ville (pour un spectacle de qualité optimale, offrez-vous une place au superbe auditorim Parco della Musica conçu par Renzo Piano.

Terrasse dans le centre historique.

Restaurant dans une ruelle du Trastevere.

La période estivale y ajoute festivals et spectacles en plein air dont vous trouverez le programme sur le site www.estateromana.comune.roma.it La plupart des bars et des pubs ferment à minuit durant l'hiver et 2h du matin l'été. Plus que pour l'alcool, on sort à Rome pour voir et être vu. Le code vestimentaire est à l'élégance (moins toutefois qu'à Milan ou Florence) et il serait déplacé de sortir en short et en baskets. Toutefois, l'ambiance reste à la décontraction, à la bonne humeur, et forcément à la drague. Notez que, comme dans beaucoup de villes du sud, les grandes discothèques prennent souvent leur quartier d'été sur la plage (celle du Lido d'Ostia en l'occurence).

Profiter de la nuit sans se ruiner

Le budget qu'il faut prévoir pour une sortie est à peu près similaire à celui qui est nécessaire en France : une bière coûte de 3 à 6 € dans un pub, un cocktail ou un alcool-soda entre 5 et 10 €, le prix de l'entrée des boîtes de nuit ou des clubs est variable selon l'endroit, mais généralement il faut compter 10 €. Pour un spectacle, l'échelle de tarif peut aller de 15 € à 60 €. Il est toutefois possible de profiter des nuits romaines à moindre coût. Tout d'abord en commençant la soirée dans un lieu proposant une formule « aperitivo » avec buffet à volonté, ce qui comme déjà signalé vous permettra d'économiser le coût d'un dîner. Ce concept remplace l'happy hour telle que nous la connaissons en France (peu répandue à Rome) et est généralement proposé entre 18h et 20h, parfois plus tard. Ensuite, en se connectant sur le site www.romacheap.it qui indique quelques événements et lieux gratuits. Les personnes qui se trouvent à Rome début septembre pourront profiter des manifestations de la Notte Bianca (équivalent romain des Nuits blanches parisiennes) avec des expositions et des concerts gratuits toute la nuit. Enfin, pour des nuits plus sages mais tout aussi merveilleuses, on peut se contenter de marcher dans la Cité éternelle pour profiter de quelques-uns des beaux monuments du monde. Quoi de plus romantique en effet que de déguster une glace devant la fontaine de Trevi à la lueur des réverbères, loin des cohortes de touristes qui s'y pressent dans la journée.

© AUTHOR'S IMAGE

Idées de séjour

ROME POUR LA PREMIÈRE FOIS

De même qu'elle ne s'est pas construite en un jour, Rome demande que l'on s'attarde pour la visiter. Trois jours sont un minimum pour découvrir ses plus grands chef-d'œuvres. Mais pour pouvoir aussi profiter de l'ambiance romaine, il faudra savoir faire l'impasse sur quelques musées.

» Jour 1 : le Colisée et autres chef-d'œuvres antiques

▶ **Matinée :** commencez votre visite par le symbole de la ville, le Colisée. Tâchez d'arriver un peu avant l'ouverture pour éviter la foule matinale. Ensuite, attelez-vous à la découverte des Forums romains et impériaux, ainsi que du mont Palatin. Une promenade sur ce site grandiose vous plongera au cœur des origines de Rome (Romulus et Rémus auraient fondé la ville sur le Palatin) et de sa grandeur antique. Un billet combiné vous permet de visiter le Colisée, les forums et le Palatin.

▶ **Pour déjeuner,** choisissez une adresse du côté de la via Cavour. Vous pourrez vous attablez dans une *trattoria* où vous contenter d'une part de pizza *al taglio* et autres délices à emporter que vous pourrez si le temps le permet aller grignoter dans les jardins de la Domus Aurea, démesure mégalomaniaque de Néron.

▶ **En début d'après-midi,** direction la place du Capitole et ses musées où vous pourrez voir, comme en écho à vos visites matinales, la statue de la louve capitoline et les impressionnants fragments de la statue d'Auguste retrouvés sur le Forum.

Cafe Friends dans le quartier du Trastevere.

Après la visite, ne manquez pas de vous offrir un capuccino au café situé en terrasse. La vue sur Rome y est splendide. Quittez le Capitole en prenant la direction du Tibre pour rejoindre l'église Santa Maria in Cosmedin où vous pourrez mettre la main dans la Bocca della Verità, non sans avoir jeter un œil aux émouvantes mosaïques qui ornent l'intérieur de l'église. Remontez ensuite vers le théâtre Marcello, lieu hautement poétique. Face à vous, la silhouette de la synagogue signale que vous arrivez dans le quartier juif de Rome, le Ghetto. Suivez la jolie via del Portico d'Ottavia. En poursuivant toujours tout droit par la rue Giobbonari bordée de nombreuses boutiques, vous parviendrez bientôt sur le Campo dei Fiori.

▌ **Soirée :** en fonction de l'heure, vous pourrez d'abord vous installer pour profiter de l'apéritif ou directement choisir l'endroit où vous irez dîner, les options ne manquent pas dans le quartier, que vous optiez pour un bar à vins, une *trattoria* ou un bon restaurant. Après dîner, s'il vous reste encore un peu d'énergie, traversez le Corso Vittorio Emmanuelle II pour aller prendre le pouls de la piazza Navona, éblouissante sous les réverbères. Pour un dernier verre, optez pour le Caffè della Pace.

❯❯ Jour 2 : le centre historique et le Trastevere

▌ **Matinée :** après une première journée bien remplie, permettez-vous de démarrer un peu plus tard si vous le souhaitez. Commencez la journée où vous l'avez terminée la veille pour goûter aux joies du marché du Campo dei Fiori. A deux pas, dirigez-vous vers la piazza Farnese et son imposant palais qui abrite l'ambassade de France. Derrière l'ambassade, empruntez vers le nord la via Giulia, l'une des plus belles de Rome, où se trouvent quelques boutiques d'antiquaires. Puis cap sur la piazza Navona et les ruelles alentour où vous aimerez flâner sans but précis, si ce n'est peut-être décider d'un endroit où déjeuner.

» **Pour le déjeuner,** arrêtez-vous dans le coin, ou dirigez-vous vers le Panthéon, quartier qui offre pas mal de possibilités gastronomiques et, pour le dessert, regroupe quelques-uns des meilleurs glaciers de la ville.

» **Après-midi :** vous ne manquerez pas de pénétrer dans le Panthéon pour admirer sa superbe coupole (en plus, c'est gratuit !) avant de vous offrir une délicieuse glace que vous pourrez déguster en remontant vers la fontaine de Trevi. Posez-vous un moment avant de pousser jusqu'à la place du Quirinale, dont le palais abrite la présidence italienne, et l'église Sant'Andrea al Quirinale, chef-d'œuvre de Bernin. Puis sautez dans le bus 60 pour rejoindre le quartier du Trastevere.

» **Soirée :** il n'y a que l'embarras du choix pour trouver où boire un verre et où dîner le long des placettes et des charmantes ruelles du Trastevere, et c'est un réel bonheur que de s'y promener le soir pour profiter d'une joyeuse ambiance où se mêlent touristes et Romains. Pour un moment romantique, grimpez sur la colline du Janicule d'où la vue sur Rome illuminée est superbe.

» Jour 3 : le Vatican et la piazza di Spagna

» **Cette troisième matinée** sera consacrée à la visite du Vatican. Démarrez de bonne heure pour visiter la basilique Saint-Pierre, monter à la Coupole et vous rendre dans la foulée aux musées du Vatican pour l'ouverture de la chapelle Sixtine. Cela devrait vous prendre quelques heures et il faudra peut-être songer à manger un morceau en sortant.

» **Pour le déjeuner,** si le soleil est au rendez-vous, nous suggérons une collation à emporter pour un pique-nique improvisé au bord du Tibre que vous rejoindrez par le Castel Sant'Angelo et son célèbre pont.

© STÉPHANE SAVIGNARD

Basilique Saint-Pierre de Rome,
colonnade du Bernin.

» **Après le déjeuner,** longez le Tibre jusqu'au Ponte Cavour pour accéder au quartier de la place d'Espagne, ses célèbres marches et ses boutiques de luxe. Là, deux options s'offrent à vous. Les adeptes de shopping et de lèche-vitrines se contenteront de flâner le long de la via Condotti et remonteront en serpentant d'une rue à l'autre jusqu'à la piazza del Popolo. Les fous de culture en revanche se dirigeront vers la villa Borghèse pour visiter (à condition d'avoir préalablement réservé) sa célèbre galerie, considérée comme l'un des plus beaux musées du monde.

» **Soirée :** le quartier de la place d'Espagne est riche en restaurants. Vous pourrez sinon retourner dîner

Bars sur les quais du Tibre près de Ponte Sisto.

du côté du Panthéon ou de la piazza Navona avant de vous offrir un extra pour votre dernière soirée dans la Cité éternelle. Selon vos goûts, optez pour le club de jazz Alexanderplatz ou une boîte du Testaccio. Vous serez aussi peut-être tenté par un dernier passage devant le Colisée illuminé et, si ce n'est déjà fait, retournez à la fontaine de Trevi jeter une pièce pour être certain de revenir à Rome...

ROME EN AMOUREUX

Au même titre que Paris ou Venise, Rome est une ville qui, entre places, terrasses, venelles et fontaines, se prête à merveille aux déambulations romantiques. Voici une suggestion de parcours tout spécialement adapté à l'expression de vos élans amoureux pour un séjour placé sous le signe de la *dolce vita*.

» Jour 1

» **Matinée :** commencez votre journée par la visite du Colisée, du Forum romain et de la colline du Palatin dont les ruines constituent un décor très romantique. Redescendez par la via di San Teodoro jusqu'à la place du Capitole. Même si vous ne souhaitez pas visiter ses musées, ne manquez pas d'aller déjeuner ou boire un cappuccino sur la terrasse du café Caffarelli qui offre l'une des plus belles vues panoramiques sur la ville.

» **Après-midi :** dirigez-vous ensuite vers le Tibre pour aller tester la force de votre amour dans la Bocca della

Piazza Navona, fontaine de Neptune (fontana dell'Nettuno).

Verità devant l'église Santa Maria in Cosmedin. Puis allez vous promener sur la colline de l'Aventino ponctuée de parcs et de jardins, dont le parc Savello et son jardin des Orangers qui offre encore une superbe vue sur la ville. En fin d'après-midi, longez le Tibre vers le nord et ne manquez pas de faire halte sur le site du théâtre de Marcello dont les ruines encaissées au milieu des maisons sont d'une poésie incomparable à la lumière d'un soleil déclinant.

▶ **Au coucher de soleil,** traversez le Tibre par l'île Tibérine, et bras dessus, bras dessous enfoncez-vous dans les ruelles du Trastevere pour dénicher une jolie terrasse pour l'apéro. Après dîner, attardez-vous simplement autour de place principale pour observer le va-et-vient mêlant joyeusement touristes et Romains.

» Jour 2

▶ **Pour débuter la journée,** un petit tour au marché de la place Campo dei Fiori s'impose : les messieurs pourront y acheter un petit bouquet à leur dulcinée... Passez ensuite par la piazza Farnese et la très belle via Giulia bordée de beaux magasins d'antiquaires, et traversez le Corso Vittorio Emanuele II pour rejoindre le secteur de la piazza Navona. S'il fait beau, attablez-vous pour un café ou un rafraîchissement à la terrasse du Caffè della Pace qui a un charme fou avec sa façade couverte de lierre, puis allez vous faire photographier comme il se doit devant la fontaine des Quatres Fleuves.

▶ **Déjeuner du côté du Panthéon,** puis offrez-vous une glace (les glaciers du coin sont les meilleurs de la ville) et déambulez tranquillement jusqu'à la fontaine de Trevi, site romantique s'il en est, qui saura vous séduire même s'il est envahi de touristes. Remontez ensuite vers la piazza di Spagna et pénétrez dans la villa Borghèse. Si le cœur vous en dit, vous pourrez faire un petit tour de barque près du temple d'Esculape. A l'heure de l'apéro, impressionnez votre moitié en l'invitant à boire un cocktail sur la terrasse du Sofitel. La vue est inoubliable !

Passez la soirée dans le quartier qui regorge d'adresses plus romantiques les unes que les autres pour dîner. S'il vous reste des forces, une petite balade digestive vous ramènera à la fontaine de Trevi qui offre le soir un visage encore plus féerique. N'oubliez pas d'y jeter une pièce, vous serez assuré de revenir à Rome.

» Jour 3

Rendez-vous matinal sur la place Saint-Pierre. Depuis la coupole, vous aurez une vue fantastique sur Rome, et des frissons garantis lorsque sonneront les cloches. Filez ensuite vers les musées du Vatican et armez-vous d'un peu de patience pour aller vous perdre dans le bleu du plafond de la chapelle Sixtine. Direction

ensuite le château Sant'Angelo, son pont et ses anges et rendez-vous dans le Trastevere.

Déjeuner un peu tardivement dans le quartier et grimpez sur la colline du Janicule, un véritable havre de paix en pleine ville. Son vaste parc abrite notamment un beau jardin botanique et la promenade offre une succession de points de vue époustouflants, particulièrement au coucher de soleil.

Dernière soirée en ville. Choisissez un restaurant du côté de Campo dei Fiori ou de la piazza Navona avant d'aller danser au Testaccio ou écouter de jazz à l'Alexanderplatz, excellent club du côté du Vatican.

ROME AVEC LES ENFANTS

Un terrain d'aventures à ciel ouvert ! A condition de prévoir un programme un peu allégé pour ne pas trop les fatiguer, vos *bambini* ne s'ennuieront pas dans la capitale romaine. Voici une suggestion d'itinéraire pour un week-end en famille qui réjouira petits et grands.

» Jour 1

Commencez la journée par une visite du Colisée et un petit cours d'histoire romaine illustrée par les faux gladiateurs en costume avec lesquels toute la famille pourra se faire prendre en photo (moyennant finances). Ne vous privez pas ensuite d'une petite visite du Forum romain où vous aborderez quelques détails politiques.

Sortir dans le quartier du Trastevere.

Les gladiateurs sont de retour à Rome pour le bonheur des touristes !

Après déjeuner, dirigez-vous vers le Tibre et l'église Santa Maria in Cosmedin où vos chérubins pourront tester leur audace en plongeant leur main dans la Bocca della Verità. L'après-midi, offrez-vous un petit tour sur l'Appia Antica, une longue rue pleine de ruines antiques, à bord de l'Archeobus. Mieux, louez un vélo et filez sur les pavés entre pins et cyprès, une partie de la rue est fermée à la circulation automobile. Ne manquez pas d'y visiter les catacombes, frissons garantis !

Pour la soirée, installez-vous devant un bon plats de pâtes dans une trattoria du Trastevere, puis faites une balade nocturne dans ce charmant quartier.

» Jour 2

Après un copieux petit déjeuner, rendez-vous sur le marché Campo dei Fiori et faites le plein de provisions pour un petit pique-nique. Prenez à droite vers le Largo di Torre Argentina pour essayer de trouver les chats au milieu des ruines, puis remontez les ruelles vers le Panthéon. Entrez-y pour admirer sa coupole et réviser vos divinités romaines en faisant deviner aux enfants qui sont Mars, Vénus, Jupiter et compagnie. Si une petite pause s'impose, autorisez vous une glace car c'est dans ce quartier que se trouvent les plus fameux glaciers de la ville. Passez ensuite par la piazza di Minerva pour voir une étonnante statue d'éléphant portant un obélisque, puis continuez vers la fontaine de Trevi. Là, toute la famille jettera une pièce par-dessous son épaule en faisant un vœu.

Direction maintenant la piazza di Spagna, autre superbe décor du théâtre de la vie romaine, et les jardins de la villa Borghèse où vous ne tarderez pas à sortir fromage, fruits et charcuterie pour un déjeuner sur l'herbe au bord du lac. Là, diverses options : pour les plus jeunes, il y a une petite aire de jeux près du champ de courses, si le temps le permet vous pourrez louer une barque ou offrir un tour de poney aux enfants. Sinon, le Museo dei Bambini, situé près de la piazza del Popolo propose de nombreuses activités ludiques.

Pour dîner, rendez-vous du côté de la place Campo dei Fiori (utilisez les transports en commun).

IDÉES DE SÉJOUR

35

» Jour 3

▶ **Commencez par** vous rendre sur la piazza Navona pour regarder les peintres et les artistes mimes qui animent les lieux. Si vous êtes à Rome pendant la période des fêtes, vous pourrez en plus profiter du grand marché traditionnel. Ensuite, allez rendre visite à la statue parlante de Pasquino, à deux pas sur la place du même nom, et exercez vos talents de traducteurs pour relater les différents messages laissés par les Romains. Empruntez ensuite le corso Vittorio Emanuele II et rejoignez le pont Sant'Angelo et ses belles sculptures. Traversez le Tibre et bifurquez vers le Vatican. Même si vous n'imposez pas aux enfants la longue file d'attente pour entrer à la chapelle Sixtine, la vue de l'immense place Saint-Pierre et de sa basilique saura les émerveiller.

▶ **L'après-midi,** retournez profiter des nombreuses activités de la villa Borghèse dont le parc zoologique. Si le temps est mauvais, le musée de la Préhistoire dans le quartier de l'EUR est une option éducative. Terminez le séjour romain par un tour de la ville sur un bus touristique, ou même un tour de calèche, qui vous permettra d'apprécier une dernière fois les merveilles de la Cité éternelle sans vous fatiguer.

▶ **Dîner,** dans le quartier de votre choix.

ROME BRANCHÉE

Pour qui connaît déjà la ville, ses merveilles antiques et baroques, Rome, si elle ne saurait concurrencer Londres ou Berlin, a toutefois quelques atouts pour séduire les amateurs d'architecture moderne, d'art contemporain et de créations graphiques.

© AUTHOR'S IMAGE - PHILIPPE GUERSAN

Piazza Navona de nuit.

Place Saint-Pierre et vue sur Rome depuis le dôme de la basilique Saint-Pierre.

Temple de Castor et Pollux au Forum romain.

›› Jour 1

▶ **Rendez-vous matinal** du côté de la villa Borghèse pour une visite de la très belle galerie d'Art moderne où vous pourrez voir des œuvres de Cézanne, Monet, Modigliani... puis descendez près de la place d'Espagne pour aller à la galerie Il Narciso, sur la via Laurina, dédiée au pop art. Déjeunez dans le quartier, par exemple à Il Margutta, qui organise des expos d'art contemporain. Allez ensuite dans le quartier Flaminio pour découvrir l'auditorium Parco della Musica, vaste structure moderne conçue par le génial architecte Renzo Piano et visitez le nouveau MAXXI.

▶ **À pied ou en métro,** passez du côté est de la villa Borghèse, dans le quartier Nomentano, pour vous rendre au musée d'art contemporain fondé en 2002 sur le site des anciennes usines de bière Peroni, le MACRO. Rendez-vous ensuite dans le quartier San Lorenzo, ancien quartier ouvrier dont la majeure partie des constructions date des années 1930. Fief de la contestation étudiante, les murs sont couverts de graffitis, et l'atmosphère stimulante du quartier a attiré des créateurs de tous poils qui ont installé leur atelier dans d'anciens entrepôts.

▶ **Passez la soirée à San Lorenzo** qui réserve quelques perles gastronomiques et plein de petits bars pour prolonger agréablement la soirée.

›› Jour 2

▶ **Commencez la journée** dans le centre historique, via Monserrato, à la galerie Il Ponte Contemporanea qui

© AUTHOR'S IMAGE

ravira les amateurs d'installations. Vous trouverez encore d'autres lieux d'exposition de jeunes artistes et créateurs en déambulant du côté du Campo dei Fiori et de la piazza Navona, comme l'excellent Studio Trisorio dédié à la photographie contemporaine (viccolo della Vacche). Déjeunez dans le quartier.

▶ **Consacrez votre après-midi** à la visite du Trastevere, le quartier bobo où vous saurez dénicher quelques bonnes adresses. Vous pouvez par exemple aller boire un verre au Nuevo Sacher, cinéma multiculturel de Nani Moretti. Pour le coucher de soleil, grimpez sur la colline du Janicule d'où vous aurez une très belle vue sur Rome. C'est un classique de la ville, mais on ne se lasse pas de ces vues romantiques sur la Cité éternelle.

Bons plans

▶ **Roma Pass** – www.Romapass.it – Valable 3 jours pour un coût de 25 €. Il permet de rentrer dans la plupart des sites archéologiques et des musées de Rome. Il correspond à deux entrées gratuites pour les deux premiers endroits visités puis à des tarifs réduits pour les visites suivantes. Plus de la carte : gratuité des transports publics romains durant les 3 jours ! Un *must* pour découvrir les trésors de Rome.

▶ **Vous pouvez rester** dans le quartier pour le début de soirée car les adresses branchées ne manquent pas. Pour boire un verre à l'heure de l'apéro, essayez Freni e Frizioni ou Rafaello, puis dînez dans une *trattoria* avant d'aller boire un dernier cocktail au Fluid, près de piazza Navona.

» Jour 3

▶ **Le matin,** prenez le métro pour partir à la découverte de l'EUR (pour Esposizione Universale di Roma), ce quartier qui a vu le jour au milieu des années 1930 et qui est la vitrine architecturale de l'Italie fasciste avec des monuments imposants censés rappeler la grandeur de la Rome antique. Remontez ensuite à la station Ostiense pour un brunch au Caffè Letterario.

▶ **Après déjeuner,** offrez-vous si vous le souhaitez un livre d'art à la librairie du café et partez en direction du Testaccio et sa célèbre colline constituée d'amphores romaines, la huitième de Rome ! Là, dirigez-vous vers les anciens abattoirs (*mattatoio*) qui abrite un centre social alternatif proposant de nombreux événements. Au même endroit se trouve le MACRO Future, annexe du musée d'art moderne qui offre 2 000 m² d'espaces d'expositions pour de jeunes artistes internationaux.

▶ **Passez votre dernière soirée** dans le Testaccio, en commençant par un *aperitivo* au Macro Future, avant de découvrir les restaurants, bars et boîtes de nuit les plus branchés de la ville. Parmi les options, le Villagio Globale, une salle qui propose toutes sortes de concerts (rock, rap, reggae) et, du côté des discothèques, Radio Londra ou l'Akab-Cave pour ne citer qu'elles.

VISITES GUIDÉES

Dans une ville offrant une telle profusion de chefs-d'œuvres, il est intéressant de demander l'aide d'un guide professionnel. L'offre en la matière est importante avec bien sûr nombre de propositions autour des musées et de l'art. En vogue actuellement, le tour « Anges et démons » autour du film à succès adapté du roman de Dan Brown et des pérégrinations du héros Robert Langdon. Dans tous les cas, veillez à vous offrir les services d'un guide officiel.

Des découvertes plus insolites sont également possibles, à deux-roues, en Fiat 500 vintage, en calèche, en bateau ou à bord d'un petit avion. Voici quelques prestataires qui vous permettront d'optimiser votre découverte de la Cité éternelle.

■ 110 OPEN

(gare Termini)
Piazza dei Cinquecento
✆ +39 800 281 281
www.trambusopen.com
Billetterie et informations tous les jours de 9h à 20h.
La ligne 110 Open propose un tour de ville panoramique en car à double étage. Le circuit se déroule à l'intérieur du centre historique romain en passant ainsi par tous les sites historiques et archéologiques du plus grand intérêt. Le 110 part dès 8h30 de Termini, puis toutes les 15 minutes jusqu'à 20h30. Vous pouvez descendre et le reprendre tant que vous le voulez, pour 20 € pendant 48 heures.

■ BATTELLI DI ROMA

Battelli di Roma
✆ +39 06 9774 5498
www.battellidiroma.it
Embarquement au Ponte Nenni, Ponte Sant'Angelo ou sur l'île Tibérine.
Un moyen original pour découvrir Rome est d'emprunter le Tibre qui traverse la ville suivant un axe nord-sud. La compagnie Battelli di Roma propose des croisières de 6 km allant du ponte Nenni à l'île Tibérine, via le ponte Sant'Angelo. La formule « hop-on hop-off » est une croisière commentée d'une heure, mais le billet est valable 24 heures, durant lesquelles on peut descendre et remonter sur le bateau. Les premiers départs ont lieu vers 10h, les derniers entre 18h et 18h30 selon les arrêts. Le prix du billet est de 10 € (8 € pour les moins de 13 ans et les plus de 65 ans).

© AUTHOR'S IMAGE

Théâtre d'Ostie.

■ BICI & BACI

Via del Viminale, 5
☎ Viminale : +39 06 4828443
☎ Cavour : +39 06 94539240
www.bicibaci.com
M° Piazza della Repubblica
ou Stazione Termini.
Pour l'autre adresse M° Cavour
Prix par jour à partir de 11 € pour les vélos, 19 € pour un scooter 50 cc, 50 € pour un 125 cc (150 et 250 cc disponibles également).
A deux pas de Termini, ou dans le nouveau siège de la centrale Via Cavour, l'un des plus grands et sympathiques loueurs de scooters et de vélos de Rome : en effet, près de 200 vélos y sont à disposition, ainsi que de très beaux scooters et des toutes nouvelles Vespas pour profiter de Rome comme dans le film *La Dolce Vita* ! Ne ratez pas les tours guidés en vélo et Vespa ou, pour les amateurs, les tours Vintage : en Vespa Vintage, Fiat 500 ou, encore, en Ape Calessino (sorte de tuk tuk italien, l'une des images d'Epinal du Rome *old fashion*) !

▶ **Autre adresse :** Via Cavour, 302.

■ GUIDEROME

☎ +39 34 889 625 50
www.guiderome.com
guiderome@libero.it
Elles sont archéologues, historiennes de l'art ou architectes. Elles sont passionnées par leur ville et parlent français. Elles, ce sont les huit guides officielles de cette association qui, en plus des parcours traditionnels, vous proposent des itinéraires personnalisés, orientés bien sûr sur les merveilles artistiques de la ville. Visite en groupe de 5 à 10 personnes : 20 € par personne pour une visite de 3 heures. Visite de 3 heures « à la carte » : 130 € (au maximum 5 personnes).

■ PROMENADES DANS ROME

Via degli Scavi 1
☎ +39 333 474 7576
www.promenadesdansrome.com
130 € pour un groupe de 6 personnes ; visite collective en français 20 € par personne (groupe maximum 10 pers.)
Les deux guides officielles de Rome, Françoise et Graziella, archéologues, historiennes de l'art et philologues de formation vous proposent des promenades à la découverte de la Rome antique et moderne à travers la visite des monuments, des musées et des églises de cette ville unique.

© AUTHOR'S IMAGE - PHILIPPE GUERSAN

Location de vélos publics.

Festivités

>> Février

■ CARNAVAL

Il n'a bien sûr rien de comparable à celui de Venise, mais le carnaval de Rome, qui fut aux XVIIIe et XIXe siècles l'un des plus grandioses du monde, reprend des couleurs ces dernières années. Chars, parades déguisées et spectacles équestres animent les rues de la ville dans une ambiance bon enfant avec dégustation de beignets et fritures.

>> Mars

■ FESTIVAL DU FILM INDÉPENDANT

www.riff.it

Du 22 au 30 mars 2012. En mars 2010, le Festival du fim indépendant de Rome a fêté ses 10 ans. Chaque année, au mois de mars, une sélection de plus de quatre-vingt films (longs, courts-métrages et films documentaires) venus du monde entier (avec tout de même beaucoup d'œuvres européennes) est présentée au public dans les grands cinémas de la ville et soumise à l'appréciation du jury.

■ FÊTE SAINT-JOSEPH

Le 19 mars, les Romains célèbrent San Giuseppe dans le quartier de Trionfale (entre le Vatican et le Tibre). L'occasion de déguster beignets et crêpes traditionnels dans une ambiance très chaleureuse.

>> Avril

■ ANNIVERSAIRE DE LA FONDATION DE ROME

Le 21 avril. Concerts et feux d'artifices sur la place du Capitole et le long du Tibre permettent aux Romains de célébrer la légende de Rémus et Romulus et de la louve qui les a sauvés.

Basilique Saint-Pierre, le balcon du Pape.

■ SEMAINE SAINTE

Chaque année, pour le Vendredi saint, le pape conduit une procession aux flambeaux qui, du Colisée au mont Palatin, reconstitue les 14 étapes du chemin de croix du Christ. Le dimanche de Pâques à midi, la bénédiction *urbi et orbi* réunit des milliers de pèlerins regroupés sur la place Saint-Pierre. Le pape y célèbre Pâques en des dizaines de langues. Un événement majeur pour le monde catholique.

» Mai

■ FESTIVAL DE MUSIQUE PRIMO MAGGIO

www.primomaggio.com
sabrina@primomaggio.com
Le 1er mai. Sur la place San Giovanni in Laterano, des milliers d'Italiens se rassemblent pour ce grand festival rock organisé gratuitement par la municipalté depuis 1990. La programmation est dévoilée au dernier moment. Y participent essentiellement des artistes italiens. Ambiance électrique garantie !

» Juin

■ FESTIVAL ISOLA DEL CINEMA

www.isoladelcinema.com
giorgioginori@isoladelcinema.com
De mi-juin à la fin août. En avant-première ou en rétrospective, du petit film d'auteur à la superproduction, tous les amateurs de cinéma se donnent rendez-vous sur l'île Tibérine pour ce grand festival en plein air qui se déroule de la mi-juin à la fin août.

» Juillet

■ ESTATE ROMANA

www.estateromana.comune.roma.it
estateromana@zetema.it
De juin à septembre. Durant tout l'été, Rome devient une scène ouverte avec de multiples événements organisés.

■ FESTA DE NOANTRI

Fin juillet. La fête du quartier du Trastevere est un événement populaire à ne pas manquer. Entre la procession de la Madonna del Carmine, qui marque le début des festivités, et le feu d'artifice qui les clôt huit jours plus tard, tout le quartier prend des airs de théâtre à ciel ouvert.

■ ROMA ALTA MODA

www.altaroma.it
altaroma@altaroma.it
En juillet. La mode est à l'honneur avec ce salon qui présente les dernières tendances de la haute couture. Aux défilés traditionnels est associée une série d'événements qui fusionnent la mode avec les arts et le spectacle, le point d'orgue de la semaine étant le défilé qui se tient sur les escaliers de la piazza di Spagna.

■ VILLA CELIMONTANA JAZZ FESTIVAL

www.villacelimontanajazz.com
publico@villacelimontanajazz.com
De début juillet à fin septembre. Un festival de plein air, sur trois mois, pour écouter des concerts de jazz tout l'été.

» Septembre

■ FESTIVAL INTERNATIONAL DE PHOTOGRAPHIE

www.fotografia.festivalroma.org
De fin septembre à fin octobre. La ville met la photographie à l'honneur au palais des Expositions et dans une vingtaine de musées et galeries. Artistes de renom, talents à découvrir ou présentation des lauréats du World Presse Photo agrémenteront le séjour romain des amoureux de l'image.

» Octobre

■ FESTIVAL INTERNATIONAL DU CINÉMA

www.romacinemafest.it
Depuis 2007, Rome fait son cinéma sur la scène internationale du 7e art. Sélection de films en compétition, soirées de galas et défilés de stars sur le tapis rouge de l'auditorium Parco della Musica, rien ne manque à cet événement très glamour. Le public n'est pas en reste puisqu'il est possible de voir de nombreux films en avant-première.

Artiste de rue.

Les gladiateurs font leur show dans les rues de Rome.

■ ROMA EUROPA

romaeuropa.net
romaeuropa@romaeuropa.net
En octobre et novembre. Evénement culturel majeur de la capitale italienne, ce festival qui se déroule de fin octobre à fin novembre en divers lieux de la ville (auditorium Parcol della Musica, Teatro Olimpico, Palladium, Teatro Eliseo...) propose des dizaines de représentations théâtrales, de concerts et de spectacles de danse.

■ ROMA JAZZ FESTIVAL

www.romajazzfestival.it
Trois dernières semaines de novembre. Durant trois semaines, l'auditorium Parco della Musica met le jazz à l'honneur.

» Novembre

■ FESTIVAL DE MUSIQUE ET D'ART SACRÉ

www.festivalmusicaeartesacra.net
dir@promusicaeartesacra.it
Novembre. Fin novembre, les plus belles basiliques de la Cité éternelle accueillent durant quelques jours de grands concerts de musique sacrée.

» Décembre

■ MARCHÉ DE NOËL

De début décembre au 6 janvier. Le plus grand marché de Noël de la ville se tient durant tout le mois de décembre sur la piazza Navona.

■ NOËL À L'AUDITORIUM

www.auditorium.com
info@musicaperroma.it
L'auditorium Parco della Musica de Rome célèbre les fêtes de fin d'année en accueillant le festival Noël à l'auditorium. Le site, conçu par le célèbre architecte Renzo Piano, prend des allures de village de Noël avec de nombreuses animations, des stands gastronomiques et une patinoire.

Campo dei Fiori, Panthéon et fontaine de Trevi

Via Cresenzio

Via Tacito

Piazza Adriana

Via Triboniane

Ulpiano

Via di Ripetta

Via Tomacelli

Ss. Ambr. e Carlo a Corso

Palazzo Borghese

Piazza Borghese

Via di Font. di Borghese

Piazza S. Lo. in Lucin

Parco Adriano

Information

Largo Mutilati e Invalidi di guerra

Lungotevere Prati

Lungotevere Marzio

Piazza Nicosia

Via d'scrofa

Via Metastasio

Via Prefetti

S. Loren in Luci

Mausolée d'Adrien

Piazza Pia

Lungotevere Castello

Ponte Umberto I

Via di Monte Brianzo

Villa dell'Orso

Via di Monte d'Oro

San Antonio dei Portoghesi

Palais Altemps

S. Agostino

Palais Montecitorio

Piazza di Montecitor

TEVERE

Aguaspanta

Via Zanardelli

Piazza Marzio Parlem

Ponte S. Angelo

Lungotevere Torre di Nona

S. Salvadore in Lauro

Piazza S.s. in Lauro

Via dei Coronari

Via M. d'Oro

Piazza di Copelle

Via d. Copelle

Piazza di Copelle

Via d. Vicario

PONTE PARIONE

Palazzo Taverna

Via d'Monte

V. d/ Vacche

Santa Maria dell'anima

Fontaine des Quatres-Fleuves

S. Luigi d. Francesi

Via d. Salvatore

Piazza Caprancia

Piazza d. Rotonda

Via d. Sem

an Giovanni ei Fiorentini

Corso Vittorio Emanuele II

Via di Banchi Nuova

S' Agnese in Agone

Palais Madama

Panthéon

S. Ig

Chiesa Nuova

Via d'Governo Vecchio

PIAZZA NAVONA

Via Stadeari

Piazza dei Minerva

Palazzo Sacchetti

Piazza S. Cesarini

Piazza della Nuova Chiesa

Corso Vittorio Emanuele II

Piazza Pasquino

Sant'Ivo alla Sapienza

P. Braschi

Musée de Rome

PIGNA

Piazza dei Caprettari

S. M S. M

Eléphant du Bénin

Musée Barracco

Piazza S. Cataneo

Piazza S. Andrea d. valle

Via del Pellegrino

Via Montserrato

Via Cappellari

Corso Vittorio Emanuele II

S'Andrea d. Valle

REGOLA

Palais de la chancellerie apostolique

Via d'Chiavari

Lago Argentina

Piaz d. Ge

Ponte G. Mazzini

Via Giulia

Piazza S. Caterina della Rota

Piazza Campo dei Fiori

Temple dela Vᵒ Republique

Lungotevere dei Tebaldi

San Girolamo

Piazza Farnèse

Théâtre de Pompée

San Carlo ai Catinari

Piazza Paganica

Palais Farnèse

V. Giubbonari

Fontain Tortu

Lungotevere della farnesina

Mascherone

Palais et galleria Spada

Arco d.

Via d. Specchi

Via Falegnami

Fontaine delle Tartarughe

Villa Farnesina

Via d. Riari

Villa Farnesina

Lung. R Sanzio

Via Pettinari

Via di Capo di ferro

Piazza d. Cinque Scole

V. Catalana

Portic et e

Palazzo Corsini

Parco Gianicolense

Villa Torlonia

Via d. Zoccolente

Lungotevere de' Vallati

S. ANGELO

Grande Synagogue

Ponte Sisto

Bart.d. vaccinari

Via Benedetta

L. dei Cenci

Musée de la communauté juive de Rome

Ponte Garibaldi

Ile Tibérine

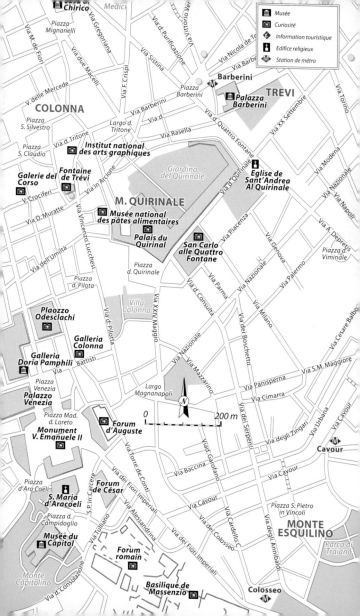

Campo dei Fiori, Panthéon et fontaine de Trevi

Vous voilà dans un décor mythique, au cœur de la Rome historique. Une grande partie du centre avec ses ruelles tortueuses, ses palais et monuments ornés des œuvres des plus prestigieux artistes de l'époque, est classée au Patrimoine mondial de l'Unesco depuis 1980. La circulation automobile y est contrôlée et de nombreuses portions sont entièrement piétonnes ce qui le rend propice à la flânerie.

La zone est délimitée par la piazza Venezia au sud, le palais du Quirinal au nord et s'étend à l'ouest jusqu'au Tibre. A l'exception de la Rome antique, elle réunit la plus importante concentration de monuments, palais et sites d'intérêt touristique de la ville. On y trouve ainsi la fontaine de Trevi et le Panthéon, mais aussi le populaire Campo dei Fiori et la piazza Navona dont les rues alentour regorgent de bars, de restaurants et de boutiques tout autant fréquentés par les Romains que par les touristes. La colline du Quirinal (la plus haute de Rome, culminant à 61 m), avec le palais présidentiel, sépare le centre de l'est de Rome. Lieu de résidence des riches Romains de l'Antiquité, elle sombra dans l'oubli après les invasions barbares puis connut, grâce aux papes, un nouvel essor. C'est aujourd'hui le centre politique de l'Italie moderne. Si la spéculation immobilière a fait disparaître les champs et les jardins, elle n'est pas allée jusqu'à détruire les églises et bon nombre datent du XVIIe siècle. Partant de la piazza Venezia, la via del Corso est une avenue rectiligne qui monte jusqu'à la piazza del Popolo en empruntant le tracé de l'antique via

Flaminia. Jadis, des courses de chevaux y étaient organisées, d'où son nom. Long de 1 500 m, le Corso peut être considéré comme l'axe central de Rome. On y trouve de nombreuses boutiques plutôt bon marché.

Plus à l'ouest, le Campo Marzio (le Champ de Mars) forme une corne délimitée par le Tibre. Camp militaire durant l'Antiquité, puis incorporée à la ville au Moyen Age, la zone, régulièrement inondée, perd de son importance à l'époque impériale. Elle change de visage à la Renaissance lorsque les papes s'installent au Vatican, de l'autre côté du fleuve. Les grandes lignées romaines s'établissent sur le Campo Marzio qui devient le quartier aristocratique de Rome, son centre financier et commercial avec de nombreux artisans. Palais et monuments y sont construits du XVe au XVIIe siècle. La piazza Navona et le Campo dei Fiori forment l'axe majeur du Campo Marzio, traversé par le corso Vittorio Emanuele II (perpendiculaire à la via del Corso). Tout le secteur mêle les palais aux maisons plus modestes.

Il est riche en magasins, bars, restaurants et discothèques, il y a donc autant d'intérêt à y aller de jour que de nuit. Derrière le Campo dei Fiori, en direction du Tibre, le palazzo Farnèse, siège de l'ambassade de France, dévoile son harmonieuse façade Renaissance. Et de l'autre côté de la place Farnèse, la via Giulia avec ses antiquaires et ses galeries d'art moderne ne manque pas d'allure. L'extrême sud du centre de Rome comprend le Ghetto, le quartier juif (le plus vieux d'Europe !) qui s'étend en direction de la Rome antique jusqu'au théâtre Marcello. On peut encore y respirer l'ancienne atmosphère dans les boutiques et restaurants casher où la tradition juive se mélange à la romaine. Ses façades décaties et son décor intemporel séduiront les amateurs de poésie urbaine, tandis qu'à deux pas l'île Tibérine vous charmera avec ses ponts et son ambiance presque villageoise.

▶ **Accès** depuis Termini, bus 40 et 64, depuis la station de métro Barberini, bus 116.

Le Panthéon.

© AUTHOR'S IMAGE - PHILIPPE GUERSAN

VISITER

Que de merveilles ! Le Panthéon, la fontaine de Trevi, le palais du Quirinal, la place Navona, le Campo dei Fiori, le Ghetto se découvrent le long de ruelles tortueuses avec une émotion toujours renouvelée.

■ BASILIQUE SAN AGOSTINO
Piazza S. Agostino
Ouverte de 7h à 13h et de 16h30 à 19h30, le dimanche de 15h30 à 19h30. Les plafonds et l'autel principal sont en rénovation.
Construite en 1420. L'intérieur présente une série de colonnes recouvertes de marbres polychromes. Dans la nef centrale, on découvre une toile de Raphaël, le *Prophète Isaïe* ; dans la nef de droite, la cinquième chapelle fut décorée par le Guerchin. L'autel majeur est un projet de Bernin, à sa gauche se trouve la tombe de sainte

Ne payez pas deux fois !

Les monuments et musées romains fonctionnent assez souvent de manière couplée. Pensez à conserver vos tickets d'entrée et vérifiez bien lors de toute nouvelle visite que vous n'avez pas déjà payé !
L'occasion aussi de préciser que la plupart des musées de Rome sont gratuits pour les moins de 18 ans et les plus de 65 ans.

Monique, mère de saint Augustin. Ne manquez pas non plus la *Vierge des pèlerins,* œuvre du Caravage.

■ COLONNE DE MARC AURÈLE
Piazza Colonna
C'est au dire des Romains le centre géographique de la ville. La piazza Colonna tient son nom de la colonne de Marc Aurèle dressée en son centre. Elle fut érigée en 180 apr. J.-C. après la mort de Marc Aurèle, pour célébrer ses victoires sur les Barbares. La statue de l'empereur qui trônait au sommet a été remplacée par une statue de saint Paul (ah, ces papes !), mais la colonne est toujours couverte de reliefs qui relatent les batailles. Une vraie BD antique !

■ ÉGLISE DEL GESÙ
Piazza del Gesu I
✆ +39 06 697 001
Ouvert de 7h à 12h30 et de 16h à 19h45.
Fondée par saint Ignace en 1540, la première église jésuite influença durant près d'un siècle l'architecture religieuse européenne. Le décor est sobre avec une immense nef unique et des matériaux simples. Ce n'est qu'au XVIIe siècle que l'Eglise de l'Inquisition l'enrichira d'œuvres baroques : fresques de Bacciccia dans la coupole et le chœur, ou d'Andrea Pozzo pour le tombeau de saint Ignace. En France, ce style est qualifié de « jésuite » avec une nuance de mépris. Au-delà du jugement esthétique, le qualificatif est incorrect, puisque les jésuites ne sont pour rien dans la création de ce style. Il est plus juste de parler de maniérisme, courant caractéristique de la Contre-Réforme.

ÉGLISE DE SANT'ANDREA AL QUIRINALE

Via del Quirinale 29

Ouvert de 8h à 12h et de 16h à 19h.
Un chef-d'œuvre de Bernin, exemplaire de l'esthétique de son temps ! Commandée pour les jésuites en 1658, cette église fut construite sur un plan elliptique pour compenser l'exiguïté du lieu. Des murs concaves et une coupole laissant filtrer la lumière pour révéler les marbres polychromes donnent à l'édifice un air joyeux. Une merveille, vous dit-on !

ÉGLISE SAN CARLO ALLE QUATTRO FONTANE

Via del Quirinale 23

Ouvert du lundi au samedi de 9h à 13h, les lundi et vendredi de 16h à 18h.
Quatre fontaines et une église se trouvent sur cette placette imaginée par Sixte Quint, grand pape urbaniste de la fin du XVIe (1585-1590). Sa conception ingénieuse permet de voir, d'un côté, la Trinité-des-Monts et Sainte-Marie-Majeure et, de l'autre, la Porta Pia et le Quirinal. Sur chaque pan a été placée une fontaine. Mais le monument le plus important de cette place est l'église San Carlo alle Quattro Fontane, l'un des chefs-d'œuvre de Borromini. A contre-courant des réalisations monumentales de l'époque, c'est un minuscule joyau baroque à l'architecture très élaborée dont les jeux de courbes omniprésents créent une étonnante impression de mouvement. La coupole lumineuse entremêle les figures géométriques comme une démonstration mathématique.

Colonne de Marc Aurèle sur la piazza Colonna.

ÉGLISE SAN LUIGI DEI FRANCESI

Piazza S. Luigi dei Francesi 20
℡ +39 06 688 271

Ouvert de 8h à 12h30 et de 15h30 à 19h30. Fermé le jeudi après-midi. Messes en français.
Commencée par Jules de Médicis, en 1512, l'église fut achevée en 1589 avec les fonds des rois de France et de leur mère Catherine de Médicis. C'est ainsi qu'elle devint l'église des Français de Rome. Elle est à voir pour les œuvres du Caravage consacrées à saint Matthieu et pour une *Légende de sainte Cécile* du Dominiquin. L'occasion d'apprécier la différence de style, baroque et maniériste, de ces deux peintres contemporains. Pour la petite histoire, Madame de Beaumont, l'une des maîtresses de Chateaubriand, est enterrée là.

CAMPO DEI FIORI, PANTHÉON ET FONTAINE DE TREVI

■ ÉGLISE SANTA AGNESE IN AGONE

Piazza Navona

Ouverte de 9h30 à 12h30 et de 16h à 19h, fermée le lundi. Pas de visites pendant les messes.

C'est l'église de la piazza Navona. Construite au XIIe siècle, elle est transformée au XVIIe siècle lorsque le pape Innocent X décide de remodeler la place pour en faire le joyau d'art baroque que nous connaissons aujourd'hui. Borromini a réalisé sa façade concave et les deux clochers jumeaux. Au sous-sol, on peut voir les vestiges de l'ancien stade de Dioclétien, une mosaïque romaine et des fresques médiévales.

■ ÉGLISE SANTA MARIA DELL'ANIMA

Via di Santa Maria dell'Anima

Ouvert de 8h à 13h et de 15h à 19h.

C'est l'église nationale allemande. Réalisée entre 1441 et 1447 mais, refaite plusieurs fois, elle a été complètement restaurée en 1843. La façade Renaissance est attribuée à Sansovino. Sur le modèle des *hallenkirchen* allemandes, elle présente quatre chapelles par côté. Particulièrement intéressante, une *Sainte Famille* de Giulio Romano décore le presbytère ainsi que, dans la quatrième chapelle, une *Déposition du Christ* de Francesco Salviati.

■ ÉGLISE SANTA MARIA SOPRA MINERVA

Piazza della Minerva 42

Ouvert de 9h à 19h. Visite du cloître de 8h à 13h et de 15h30 à 19h30.

Dans le quartier du Panthéon, c'est l'une des seules églises gothiques de Rome, construite en 1208 sur un temple dédié à Minerve. Elle abrite un christ de Michel-Ange, des fresques de Filippino Lippi et la pierre tombale du peintre Fra Angelico. Sur la place devant l'église, on découvre la célèbre

Fontaine de Trevi.

statue d'éléphant surmontée d'un obélisque imaginée par Bernin et sculptée par Ercole Ferata en 1667. Si vous vous penchez sur l'épitaphe, vous pourrez lire qu'« il faut une tête forte pour être capable de soutenir une solide intelligence ».

■ ÉGLISE SANT'ANDREA DELLA VALLE

Piazza Sant'Andrea della Valle
✆ +39 06 686 1339
Ouvert du lundi au samedi de 7h30 à 12h30 et de 16h30 à 19h30, et le dimanche de 7h30 à 12h45 et de 16h30 à 19h45.
Eglise mère de l'ordre des Théatins, elle est considérée comme l'archétype des églises maniéristes de la Contre-Réforme. Conçue par Carlo Maderno, sa construction dura de 1591 à 1640. Sa façade n'a plus la simplicité des façades Renaissance. Les colonnes, leurs chapiteaux corinthiens, les frontons y font saillie, créant des effets d'ombre et de lumière. Sa coupole est l'une des plus hautes de Rome. A l'intérieur, rappelant la disposition de l'église du Gésù, on y trouve en particulier la fresque de Lanfranco qui couvre tout l'intérieur de la coupole, et celles du Dominiquin sur les pendentifs et sur la voûte du chœur. En outre, elle abrite une copie de la *Pietà* de Michel-Ange, réalisée en 1616 par Gregorio De Rossi, et la tombe de Giovanni Della Casa, auteur du *Galatée*.

■ FONTAINE DES TORTUES

Piazza Mattei
Réalisée d'après un projet initial de fontaine formée de quatre conques et d'un petit bassin conçu par Giacomo Della Porta en 1582, elle a ensuite

Rome en calèche

Envie de romantisme ? Il est possible de visiter le centre historique à bord de fiacres, appelés ici *carrozzelle*. Vous ne pourrez pas les louper aux alentours des grands sites touristiques : villa Borghèse, piazza Venezia, via Veneto, piazza San Pietro, piazza di Spagna, piazza Navona, piazza del Colosseo et piazza di Trevi. Il vous en coûtera environ 100 € pour un circuit d'une demi-heure.

été embellie par l'architecte Taddeo Landini qui a surmonté l'ensemble de quatre éphèbes dénudés. Les quatre petites tortues de bronze ont enfin été ajoutées par Bernin un siècle plus tard, en 1658.

■ FONTAINE DE TREVI

Piazza di Trevi
Voir la rubrique Les immanquables – Points d'intérêt – La fontaine de Trevi, p. 14.

■ ÎLE TIBÉRINE

Accès : bus 23, 63, 280, 630, 780. Pour une agréable promenade sur les berges du Tibre, traversez le ponte Fabricio au bout du Ghetto. Depuis le XVIe siècle, l'île est presque entièrement occupée par l'hôpital Fatebenefratelli. On y découvre aussi les restes du ponte Rotto qui s'effondra au XVIe siècle, emporté par le fleuve tumultueux.

■ INSTITUT NATIONAL DES ARTS GRAPHIQUES

Via della Stamperia 6 – Palazzo Poli
✆ +39 06 69980 230
www.grafica.arti.beniculturali.it
in-g@beniculturali.it
*Ouvert tous les jours de 10h à 19h.
Fermé les dimanche et jours fériés.
Entrée libre.*
On y expose de nombreuses gravures
et dessins provenant de fonds divers
(notamment du fonds de Canova et
du fonds Piranesi). La chalcogra-
phie, collection de planches gravées,
occupe une place importante, avec
environ 24 000 cuivres. L'Institut,
dans le palazzo Poli dont la façade
donne sur la fontaine de Trevi,
accueille également des expositions
temporaires.

Arrivée en calèche sur la place Navona.

© AUTHOR'S IMAGE

■ LARGO DI TORRE ARGENTINA

Au sud du Panthéon
Cet endroit n'a rien à voir avec
l'Argentine. Un certain Johannes
Burckard, maître des cérémonies
du pape, y construisit un palais et
lui donna le nom de sa ville natale :
Strasbourg, soit Argentoratum en
latin ! La circulation y est infernale.
On en oublie presque le champ de
ruines antiques qui s'y trouvent et
qui sont celles de quatre temples
de l'époque républicaine (IIIe siècle
av. J.-C.). Pour la petite histoire, c'est
sur cette place que fut assassiné
Jules César et c'est là que vit, sous
protection, l'une des plus grandes
communautés de chats de Rome.
On peut même y laisser une petite
donation, les dames qui y travaillent
s'occupent seules et bénévolement
de cette communauté féline !

■ MUSÉE BARRACCO

Corso Vittorio Emanuele II 166/a
✆ +39 06 688 068 48
www.museobarracco.it
*Le musée est ouvert tous les jours,
sauf le lundi, de 9h à 19h et de 9h à
14h du 24 au 31 décembre. Entrée :
5,50 €.*
Une étape obligée pour les amateurs
d'antiquités grecques, romaines,
assyriennes et égyptiennes qui
pourront notamment admirer
une superbe tête d'Alexandre le
Grand. La collection a été léguée
à la ville par le baron Giovanni
Barracco. Le palais qui l'abrite fut
au XVIe siècle la résidence d'un
prélat français, ce qui explique
les lys sur la façade.

■ MUSÉE DE ROME
(PALAIS BRASCHI)

Entrée au 2 de la Piazza di Navona
10 Via di San Pantaleo
Piazza Navona
℃ +39 06 06 08
www.museodiroma.it
www.museiincomuneroma.it

*Ouvert du mardi au dimanche de 9h
à 19h. Fermé le lundi. Entrée adulte
6,50 €, enfant 4,50 €. Audioguide en
anglais ou en italien 3,50 €.*

Pour tout connaître de l'histoire de
Rome du Moyen Age à la moitié du
XXᵉ siècle, c'est ici. Les Barberini,
les Borghèse et toutes les grandes
familles qui ont fait Rome n'auront
plus de secret pour vous qui
découvrirez tout des changements
topographiques, culturels, sociaux
et artistiques de la cité. Dans les
collections du musée, vous aimerez
les carrosses, les chaises à porteur,
les mosaïques, les fresques et
céramiques médiévales, la collection d'estampes du XVIᵉ au XIXᵉ
siècle et celle de photographies
anciennes.

■ MUSÉE
HEBRAÏQUE DE ROME

Lungotevere dei Cenci 15
Ghetto
℃ +39 06 684 006 61
www.museoebraico.roma.it

*Ouvert de dimanche à jeudi de 10h à
17h (19h en été), le vendredi de 9h à
14h (16h en été). Fermé les samedis
et jours de fêtes juives et catholiques.
Entrée : 10 €.*

A travers de nombreux documents,
mais aussi d'objets de culte, de pièces

d'orfèvrerie et de textiles, le musée
évoque l'histoire de la communauté
israélite à Rome, depuis la prise de
Jérusalem jusqu'à la période fasciste.
On apprend notamment qu'à partir
de 1555 le Ghetto fut entouré d'une
muraille qui ne tomba qu'en 1870.

■ PALAIS ALTEMPS –
MUSÉE NATIONAL ROMAIN

Piazza Sant' Apollinare, 44
℃ +39 06 39 96 7700
www.archeoroma.beniculturali.it
www.roma2000.it

*Ouvert du mardi au dimanche de
9h à 19h. Entrée adulte 7 €, réduit
3,50 €. Audioguide 5 €. Le billet est
aussi valable pour le Palais Massimo,
la crypte Balbi et les thermes de
Dioclétien qui composent avec le
Palais Altemps et le Musée national
romain. Il est valable 3 jours.*

L'un des exemples les plus importants
de l'architecture de la Renaissance à
Rome. Commencé par Girolamo Riario
en 1477, ce palais se trouve sur le site
d'antiques ateliers de marbriers et
probablement d'un temple consacré
à Apollon.

Aujourd'hui, il est le siège de l'un
des quatre musées qui composent
le Musée national romain (le Palazzo
Massimo, les thermes de Dioclétien
et la crypte Balbi sont les autres
musées). Il conserve des sculptures gréco-romaines provenant de
collections privées d'illustres familles
romaines du XVIᵉ et XVIIᵉ siècle. A voir
aussi la magnifique chapelle privée
du palais qui conserve la dépouille
de Sant'Aniceto, l'un des premiers
papes de l'Eglise.

Palais Farnèse, peinture d'Annibal Carrache.

■ PALAIS CHIGI

Piazza Colonna
www.governo.it/Presidenza/sto-ria_chigi/index.html

Sur la place Colonna, la façade du siège de la présidence du Conseil des ministres est un bel exemple de l'architecture du XVIe siècle due à Carlo Maderna. Vers 1660, ce beau palais avait attiré les convoitises de nombreuses familles romaines, dont les Chigi, qui en prirent possession par l'intermédiaire d'un de leurs membres, le pape Alexandre VII.

■ PALAIS DORIA PAMPHILJ

Via del Corso, 305
℃ +39 06 679 7323
www.doriapamphilj.it
www.dopart.it
arti.rm@doriapamphilj.it
Ouvert tous les jours de 10h à 17h. Fermé à Noël, le 1er janvier, à Pâques, le 1er mai et le 15 août. Entrée : 10,50 €.

Les œuvres de Titien, Raphaël, Véronèse, du Caravage, de Bruegel, Rubens, Guerchin, Correggio et d'autres donnent vie aux murs de cet immense palais. On ne manquera pas le portrait du pape Innocent X fait par Vélasquez lors de son voyage à Rome. La lecture psychologique en est subtile et profonde. « Trop vrai », avait même dit le pape en voyant l'œuvre de Vélasquez ! Les amateurs de sculpture ne seront pas en reste.

■ PALAIS DU QUIRINAL

Piazza del Quirinale
www.quirinale.it/qrnw/statico/palazzo/palazzo.htm

Visite le dimanche de 8h30 à 12h. Vérifiez le site Internet, car les horaires peuvent changer. Entrée : 5 €. Gratuit pour les moins de 18 ans et les plus de 65 ans. Gratuit le dernier dimanche du mois.

Résidence d'été des papes de 1592 à 1870, demeure des rois d'Italie jusqu'en 1944, le palais du Quirinal est aujourd'hui le siège de la présidence de la République. Tous les grands architectes du XVIIe siècle ont travaillé à sa construction. Napoléon qui le choisit comme demeure impériale y a également laissé son empreinte. Parmi les nombreux trésors de ce palais, une galerie richement décorée par Pietro Da Cortona, un magnifique escalier de Mascarino, de belles fresques du XVIe, ainsi qu'une petite église au doux nom de Paolina et au plafond orné de roses dorées. Restaurées, les écuries accueillent des expositions internationales d'intérêt majeur. Sur la place qui offre un très beau panorama sur la ville, la fontaine est ornée de grandes statues, vestiges des thermes de Constantin.

■ PALAIS FARNÈSE

Piazza Farnese
℗ +39 06 68 89 28 18
www.ambafrance-it.org
visitefarnese@france-italia.it
Bus 40, 64, 116. Visite gratuite (jardin, cour et étage noble) du lundi au jeudi à 15h, 16h et 17h. Papiers d'identité nécessaires. Attention : il faut réserver au moins 1 à 4 mois avant votre visite. Pas de visite du 24 juillet au 7 septembre.

Considéré comme l'exemple le plus achevé de l'architecture renaissante florentine à Rome, le palais Farnèse est depuis 1936 le siège de l'ambassade de France. Le « dé », comme il est depuis toujours appelé, fut commencé en 1514 par Sangallo le Jeune sur commande du cardinal Alexandre Farnèse, futur pape Paul III, continué par Michel-Ange en 1546 et achevé plus de 40 ans plus tard par Giacomo Della Porta. Sa façade imposante, sa somptueuse décoration intérieure et les œuvres d'art qu'il abrite (beaucoup sont tout de même parties à Naples)

rappellent l'importance de la famille Farnèse à la Renaissance. Le palais domine totalement la place Farnèse (où l'on remarque tout de même les bassins des fontaines qui proviennent des thermes de Caracalla). Il est construit en travertin, pierre jaune et poreuse typiquement romaine. C'est au génie de Michel-Ange que l'on doit le splendide balcon en marbre au-dessus du portail d'entrée et la puissante corniche. Pour ceux qui auront la chance de visiter l'intérieur, la Grande Galerie avec ses stucs, ses dorures et ses peintures maniéristes, servit de modèle à l'Europe entière, à Versailles notamment. Elle fut commandée par le cardinal Odoardo Farnèse aux frères Carrache à la fin du XVIe siècle. Ses fresques sont consacrées à des thèmes mythologiques célébrant avec grande sensualité l'omnipotence de l'amour, ce qui créa scandale sous le pontificat du sévère Clément VIII. La salle d'Hercule présente un beau plafond en bois, œuvre de Vignola.

© AUTHOR'S IMAGE

Le palais du Quirinal (palazzo del Quirinale) et la fontaine représentant Castor et Pollux.

Dômes sur la piazza Venezia.

■ PALAIS SPADA ET GALLERIA SPADA

Piazza Capo di Ferro 13
✆ +39 06 683 2409
Galerie Spada : Ouvert tous les jours, sauf le lundi, de 8h30 à 19h30. Entrée : 5 €. Palais Spada (siège du Conseil d'Etat) Les visiteurs sont admis au « piano nobile » du palais, le premier dimanche de chaque mois à 10h30, 11h30 et 12h30.
Edifié en 1540, le palais Spada fut acheté au cours du XVIIe siècle par le cardinal Bernardino Spada et remanié sous la direction de Borromini. Cet édifice, qui a gardé sa structure Renaissance, abrite aujourd'hui le Conseil d'Etat. On ne manquera pas d'admirer sur sa façade les intéressantes niches abritant des statues de rois et d'empereurs romains. Mais le palais Spada est surtout célèbre pour la perspective en semi-trompe l'œil de sa première cour, un passage voûté de 9 m de longueur mais qui paraît trois fois plus long. L'architecte a réussi à donner cette impression en réduisant les dimensions des colonnes et la largeur de l'espace selon un calcul géométrique précis. La majestueuse statue, au fond, contribue à accentuer le sens de profondeur de l'espace. En réalité, la statue ne fait que 50 cm de hauteur ! Par la seconde cour, on accède à la pinacothèque où l'on peut voir des œuvres de Titien, de Bruegel l'Ancien, de Rubens, du Guerchin, mais aussi des chefs-d'œuvre de peintres moins connus, comme *L'Allégorie du massacre des Innocents* de Testa.

■ PALAIS VENEZIA

Via del Plebiscito, 118
✆ +39 06 6999 4284
http://museopalazzovenezia.beni-culturali.it
Ouvert du mardi au dimanche de 8h30 à 19h30, fermé le lundi. Entrée 4 €.
Résidence papale, puis siège de l'ambassade de Venise jusqu'en 1797, et d'Autriche jusqu'en 1914. Après l'avénement du régime fasciste, Mussolini

y installa son bureau, et le palais devint le symbole du pouvoir fasciste. C'est du balcon qui donne sur la place que le *duce* adressait ses fameuses harangues aux « foules océaniques » venues l'acclamer. On disait que la lumière du bureau du dictateur était allumée toute la nuit pour signifier combien le duce travaillait pour le pays. L'aspect extérieur est sévère et encore très gothique. L'intérieur, en particulier la cour et son portique, est Renaissance. Les salles que l'on visite sont de très vaste proportion. Elles présentent des tapisseries et des panoplies, ainsi que la bibliothèque de l'Institut d'archéologie et d'histoire de l'art. Des expositions temporaires y sont organisées.

■ PANTHÉON
Piazza de la Rotonda
Voir la rubrique Les immanquables – Points d'intérêt – Le Panthéon, p. 15.

■ PIAZZA VENEZIA
Piazza Venezia
C'est la place incontournable de Rome, un énorme carrefour routier qui, au centre de la ville, permet de rejoindre le Colisée, la gare Termini, la fontaine de Trevi... On y passe souvent, et on s'y arrête au moins une fois pour monter au Capitole. La place est dominée, ou plutôt même écrasée, par le Vittoriano, monument dédié à Victor-Emmanuel II qui, en 1861, avec la création de l'Etat italien, avait pris le titre de roi d'Italie. Cet édifice grandiloquent, qui subit moult critiques, est affublé de divers surnoms : la machine à écrire, mais aussi le dentier ou la pièce montée.

De nombreux éléments sont là pour symboliser l'Italie réunifiée comme les seize statues du fronton pour les régions et les fontaines pour les deux mers baignant la Botte. Autour de la place, on trouve le palais Venezia et en montant au Capitole l'église Santa Maria d'Aracoeli.

■ PIAZZA DELLA ROTONDA
Piazza della Rotonda
La piazza della Rotonda, avec sa vasque de Della Porta et son obélisque, est une belle place colorée et bruyante, entourée de cafés et de terrasses qui permet, tout en buvant un cappuccino, d'admirer la façade imposante du Panthéon au rythme de l'incessant va-et-vient des touristes.

© AUTHOR'S IMAGE

*Piazza della Rotonda,
l'une des plus belles places de Rome.*

■ PORTIQUE D'OCTAVIE – PORTICO D'OTTAVIA

Via Portico d'Ottavia

C'est une jolie promenade à travers les ruelles du Ghetto. Au bout de la rue du même nom se dresse ce portique de forme rectangulaire (119 m sur 132 m) que l'empereur Auguste dédia à sa sœur Octavie. Il était alors orné d'un double rang de colonnes et de nombreuses sculptures grecques. En partie intégré à la façade de l'église de Sant'Angelo, ce portique était considéré comme le centre du Ghetto, surtout parce que la zone était la seule utilisable pendant les crues du Tibre. Devant l'église, à l'intérieur du portique, se tenait un marché au poisson. Au Moyen Age, on y rajouta un arc, et la zone limitrophe fut l'objet d'une forte urbanisation avec la construction de tours, de forteresses et d'habitations, certaines s'appuyant directement sur le portique. En bas se trouve le théâtre de Marcello.

■ THÉÂTRE DE MARCELLO

Derrière le Ghetto

Ouvert tous les jours de 9h au coucher du soleil. Accès libre.

Amis poètes, ne manquez pas ce lieu merveilleusement situé entre le Ghetto et le Capitole. Il s'agit là du plus important des théâtres romains, dédié à Marcel, le gendre de l'empereur Auguste. Il remonte à la fin du Ier siècle av. J.-C. et pouvait contenir plus de 10 000 spectateurs. Il fut fortifié au Moyen Age, puis transformé en palais par les Orsini au XVIe siècle. De la construc-tion antique, il ne subsiste que deux étages, visibles sous le palais et, juste à côté, trois magnifiques colonnes en marbre blanc, vestiges d'un temple dédié à Apollon. Au milieu d'un parterre de coquelicots, dominé par la silhouette de la synagogue et entouré de maisons populaires, le site ne manque pas de caractère. Coup de cœur assuré !

■ THÉÂTRE DE POMPÉE

Largo del Pallaro, 8

Derrière l'église Sant'Andrea, dans un dédale de petites rues, il n'est pas très facile de retrouver les traces de l'ancien théâtre de Pompée (mais l'enseigne d'un excellent petit hôtel vous y aidera). Le théâtre de Pompée est l'un des premiers théâtres de pierre construit entre 61 et 55 av. J.-C. Le théâtre, et le portique qui le précédait, arrivait jusqu'à Largo Argentina, où fut assassiné Jules César, non loin de là, le 15 mars de l'an 44 av. J.-C.

■ VIA DEL CORSO

Via del Corso

La rue du shopping bon marché de Rome relie la piazza del Popolo à la piazza Venezia, en empruntant le tracé de l'antique via Flaminia. Le pape Paul II y organisa des courses de chevaux, d'où son nom. Long de 1 500 m, c'est l'axe central de Rome, et c'est bien ainsi que le percevaient les urbanistes de la Renaissance. Entre cette avenue et le Tibre s'étend l'ancien Champ-de-Mars. C'est ici que s'est développée la ville du Moyen Age et de la Renaissance, en un dédale de ruelles compliqué et tortueux.

© AUTHOR'S IMAGE - PHILIPPE GUERSAN

SE RESTAURER

Des monuments d'intérêt hautement touristiques, attirent une foule très... touristique, et donc une multitude d'établissements à destination... des touristes. Pourtant, dans la multitude de restaurants, *trattoria*, *osteria* et pizzeria, certains trouvent aussi la faveur des Romains, peut-être davantage du côté du Panthéon que de la piazza Navona. Dans l'assiette comme dans le décor, la tendance du quartier est plutôt au traditionnel et au familial, avec quelques jolies exceptions.

» Sur le pouce

■ IL FORNAIO
Via dei Baullari 5/7
✆ +39 06 688 003 947
www.ilfornaio.com
Ouvert tous les jours de 7h30 à 21h.
Pour vos petits déjeuners, pique-niques et en-cas, cette boulangerie artisanale propose toutes sortes de pains, un choix gigantesque de petits biscuits (au citron, aux pignons...), de tartes (aux fruits, à la ricotta...), ainsi que des panini et des parts de pizza.

■ ROSTICCERÌ
Corso del Rinascimento, 83-85
✆ +39 06 688 083 45
www.rosticceri.com
Ouvert tous les jours de 10h30 à 21h, sauf le dimanche. Compter 8 à 10 € par repas.
Pour un déjeuner sur le pouce, tout en saveur. Rosticceri s'est lancé dans la cuisine gastronomique... à emporter. Juché sur de hauts tabourets, on déjeune entre deux hommes d'affaires venus se restaurer à deux pas du Sénat.

■ VIA GIULIA
Via Giulia
Peut-être l'un de vos coups de cœur romain. La via Giulia est une longue voie rectiligne longeant le Tibre depuis la place Farnèse. Elle est bordée de palais Renaissance d'influence florentine, dont le plus remarquable est le palazzo Sacchetti, et d'églises, parmi lesquelles il faut voir Sant'Eligio degli Orefici, édifiée par Raphaël en 1509. Ses boutiques d'antiquaire en font un lieu de promenade agréable. Un arc qui franchit la via Giulia correspond à la façade postérieure du palais Farnèse.

CAMPO DEI FIORI, PANTHÉON ET FONTAINE DE TREVI

© SAN CRISPINO GELATI SHOP

» Pause gourmande

Le périmètre autour du Panthéon et de la fontaine de Trevi regroupe des glaciers célèbres qui se disputent la palme de l'excellence.

■ LA CANNOLERIA SICILIANA
Via di Monte Brianzo, 66-67
℃ +39 06 6880 6874
www.lacannoleriasiciliana.it
Ce glacier et pâtissier sicilien régale les palais de ses chocolats noirs et autres gâteaux à la pistache. Pour le plaisir des papilles et des yeux !

■ FIOCCO DI NEVE
Via del Pantheon, 51
℃ +39 06 678 6025
Ouvert du mardi au dimanche de 10h à minuit.
A priori, elle ne paye pas de mine, mais la maison du « flocon de neige » maintient sans faillir une grande répu-

tation. Les locaux ne tarissent pas d'éloges sur ses excellentes glaces aux fruits de fabrication artisanale.

■ GIOLITTI
Via degli Uffici del Vicario, 40
℃ +39 06 699 1243
www.giolitti.it
Ouvert tous les jours de 7h à 2h.
Quoi de plus chic qu'une glace au champagne ? Peut-être une glace à la rose ? Ou aux macarons ? Le mieux est encore de tous les goûter, ce qui prend le week-end. Une expérience tout à fait romaine donc !

■ IL GELATO DI SAN CRISPINO
Via della Panetteria, 42
℃ +39 06 679 3924
www.ilgelatodisancrispino.it
Ouvert du dimanche au jeudi de 12h à 00h30, vendredi et samedi de 12h à 1h30. Fermé le mardi.
San Crispino, enemi juré de Giolitti, redouble d'inventivité pour séduire les spécialistes de glaces. Et dieu sait s'ils sont nombreux dans les environs. Le plus de San Crispino : ses recettes adaptées à la saison et son amour des parfums d'antan. essayez donc la crème glacée au miel et à la meringue.

■ PASTICCERIA LA DELICIOSA
Vicolo Savelli, 48-50
℃ +39 06 6880 3155
Ouvert du lundi au samedi de 8h30 à 19h.
Si vous aimez les petites douceurs italiennes, c'est ici qu'il faut venir. La vitrine parle d'elle-même et c'est l'eau à la bouche qu'on entre dans la boutique pour acheter des profiteroles, une tarte au citron ou une merveille au chocolat.

❯❯ Bien et pas cher

■ BAR DE SANTIS

Via del Governo Vecchio, 122
Ouvert tous les jours – de manière aléatoire. Compter 3 à 5 € pour un verre de vin, 1,80 € pour un café.
L'une des merveilles de la via del Governo Vecchio – qui en compte quelques-unes. Ce petit bar, sans peur et sans reproches, résiste vaille que vaille aux vagues de touristes, sans jamais se dénaturer. Purement romain.

■ IL DESIDERIO PRESO PER LA CODA

Viccolo Palomba, 23
✆ +39 06 6830 7522
www.ildesideriopresoperlacoda.net
Ouvert du lundi au vendredi de 12h30 à 15h et de 20h à 23h30, samedi de 20h à 23h30. Compter 6 € à 10 € pour les primi.
« Le désir attrapé par la queue » intrigue, à l'instar de son nom. On y entre par curiosité, on y reste pour admirer les toiles d'artistes locaux et on finit toujours par s'y asseoir devant un plat de pâtes délicieux.

■ PICCOLO BUCO

Via del lavatore, 91
Ouvert tous les jours, midi et soir. Menus à 13, 18 ou 26 €.
Non loin de la fontaine de Trevi, on peut choisir entre plusieurs menus, plus ou moins consistants, à base de pâtes ou de pizzas. Une bonne option, pas chère, au cadre accueillant.

Obika, temple de la mozzarella

■ OBIKA MOZZARELLA BAR

(A l'angle de Via dei Preferiti)
Piazza di Firenze ✆ +39 06 683 2630
www.obika.it – catering@obika.it
Ouvert tous les jours de 10h à minuit. Aperitivo à 19h30. Un peu moins de 20 € pour un repas complet.
Le décor très design et les présentoirs évoquent les bars à sushis. Mais ici, point de poisson cru, c'est la mozzarella (*di bufala* comme il se doit pour respecter l'AOC) qui est à l'honneur. Si vous ne connaissez que la mozzarella en sachet, vous risquez d'être surpris par l'onctuosité et le goût très fin de ce fromage présenté en quatre déclinaisons d'affinage. La mozzarella peut être accompagnée de légumes grillés, de salades de pâtes et de charcuterie, souvent d'origine biologique. Les desserts sont excellents et les vins bien choisis. Le top : y venir pour un apéritif dînatoire (*aperitivo*) ou pour le brunch du dimanche. Le concept fait fureur et les grandes villes d'Italie ainsi que Londres, New York, Tokyo et même Koweït City ont leur bar Mozzarella Obika.

❯ **Autre adresse :** Piazza Campo dei Fiori, à l'angle de la Via Baullari.

CAMPO DEI FIORI, PANTHÉON ET FONTAINE DE TREVI

Où déguster de la cuisine judéo-romaine ?

Malgré sa triste histoire, le Ghetto sait aujourd'hui réjouir ses visiteurs, grâce à sa tradition culinaire inégalable. Les *carciofi alla giudia* (artichauts à la juive) font partie des incontournables du parcours gastronomique romain. Pour le reste, fritures de fleur de courgette, filet de morue, abats, agneau et queue de bœuf, sans oublier de fameuses pâtisseries. Voici les valeurs sûres pour y goûter :

■ BAGHETTO

Via Portico d'Ottavia, 57 ✆ +39 06 6889 2868 – www.baghetto.com
Ouvert du dimanche au jeudi de 11h30 à 15h et de 17h30 à 23h, vendredi de 11h30 à 15h, samedi de 18h30 à 23h. Comptez 50-60 € par repas.
Les nouveaux venus dans le Ghetto n'ont pas peur de se faire remarquer. Les quatre frères de Baghetto vous en mettent plein les papilles, à grand renfort de *carciofi alla giudia*, de salade de pignons et de viande séchée.

■ NONNA BETTA

Ghetto Juif, Via del Portico d'Ottavia, 16 ✆ +39 06 6880 6263
www.nonnabetta.it – scrivimi@nonnabetta.it
Fermé le vendredi soir et le samedi à midi
Restaurant casher, autorisé par le Tribunal rabbinique de Rome, Nonna Betta utilise des ingrédients simples, sans viande, bref un paradis pour les végétariens ! Le menu, accorde une grande place aux fritures comme les immanquables artichauts ou mozzarella frits. Parmi les *primi* : carbonara de courgettes, *cacio e pepe*, ou tagliolini à la chicorée. Parmi les *segundi* : morue sèche, *parmigiana* d'artichauts et l'omelette oignon et *pommodoro* ou celle de *cucuzzette*.

■ RISTORANTE GIGGETTO AL PORTICO D'OTTAVIA

Via del Portico d'Ottavia, 21a
✆ +39 06 686 1105 – www.giggettoalportico.it
Ouvert tous les jours à partir de 19h, sauf le lundi et au mois d'août. Comptez 40 € par personne. Gigetto mise sur l'authenticité pour se différencier de ses collègues du Ghetto. Avec ses allures rustiques, il campe sur ses positions d'institution. Toutes les spécialités judéo-romaines sont dans les assiettes. Goûtez en particulier le *filetto di baccalà* et les *carciofi alla Giudia* (artichauts frits).

■ RISTORANTE PIPERNO

Via Monte dei Cenci, 9
✆ +39 06 688 066 29 ✆ +39 06 688 663 3606
www.ristorantepiperno.it
Ouvert du mardi au samedi de 12h45 à 14h20 et de 19h45 à 22h20, le dimanche uniquement le midi. Carte entre 40 et 50 €. Le top en la matière ! Les Romains viennent de loin pour ses spécialités d'artichaut. L'étape est sincère et généreuse, la cuisine colorée et toujours finement réalisée.

À chacun ses pâtes !

■ PIZZERIA BAFFETTO

Via del Governo Vecchio, 114
☎ +39 06 686 1617
www.pizzeriabaffetto.it

Ouvert de 18h30 à 1h, fermé le mardi. Attention, la carte de crédit n'est pas acceptée. Repas à la carte de 10 à 15 €. Baffeto 2 est ouvert tous les soirs, et samedi et dimanche de 12h30 à 15h30.

Baffetto règne sur le monde de la pizza romaine depuis de longues années. Petits prix, service efficace et pizzas au top. Voilà qui explique la file d'attente qui s'allonge après 19h. Soyez futés, arrivez avant !

▸ **Autre adresse :** Piazza del Teatro Pompeo, 18.

❯❯ Bonnes tables

■ AL DUELLO

Vicolo della Vaccarella, 11
☎ +39 06 6873348
www.ristorantealduello.it

Ouvert tous les soirs sauf le dimanche. Menus dégustation 45 € et 60 €.

Al Duello est l'un des derniers venus dans le paysage gastronomique de Rome, mais il n'a pas à rougir de sa jeunesse. Le cadre est sobre et élégant, le service attentionné et la cuisine... mamma mia ! Les fruits de mer sont d'une fraîcheur sans égale, les pâtes al dente au possible, un sans-faute !

🍴 CRISPI 19

Via Francesco Crispi, 19
☎ +39 06 678 5904
www.ristorantecrispi19.com
crispi19@hotmail.it
M° Barberini.

Ouvert tous les jours de 12h30 à 15h et de 19h à 23h. Compter 30 € par repas. Menu dégustation 52 €.

A mi-chemin entre la piazza di Spagna et la fontaine de Trevi, ce très bon restaurant sert une cuisine traditionnelle à la présentation soignée et inventive. Deux cuisiniers, le chef sicilien et le second romain, déploient tout leur art dans nos assiettes. Ici, c'est toute la Méditerranée qui est à l'honneur, avec bien sûr de nombreuses références à Rome, à commencer par les pâtes *all'amatriciana*, préparées selon la plus pure tradition. On goûtera aussi au filet de bœuf au parmesan, au tartare de thon et d'une manière générale à tous les plats de poisson !

■ IL GIARDINO ROMANO

Ghetto Juif
Via del Portico d'Ottavia, 18
☏ 06 68809661
www.ilgiardinoromano.it
ilgiardinoromano@tiscali.it
Fermé le mercredi. Pendant plus de 300 ans de vie derrière les portes du ghetto, les juifs romains ont été capables de garder leurs plus anciennes recettes. Le Giardino Romano (Jardin romain) est situé dans une vieille boutique du Ghetto dans un ancien palais du XVII° siècle. Pâtes *a l'amatriciana* ou à la carbonara, queue de bœuf *a la vaccinara*, l'immanquable *abbacchio*, ou, encore, la *coratella* (tripes) sont des plats typiques proposés.

■ L'ANGOLETTO

Piazza Rondanini, 51
☏ +39 06 6868 019
www.ristorantelangoletto.it
Ouvert tous les jours midi et soir. Compter 30 € par repas.
Situé sur une adorable place, à quelques encablures du Panthéon, ce restaurant de poissons possède une belle terrasse feuillue. On y va bien sûr pour les fruits de mer et les poissons, déclinés sous toutes leurs formes, du carpaccio au tartare, en passant par les grillades et les pâtes.

Carpaccio au parmesan et à la roquette.

© STÉPHANE SAVIGNARD

■ OSTERIA DEL PEGNO

Vicolo Montevecchio 8
☏ +39 668 807 025
www.osteriadelpegno.com
Ouvert tous les jours sauf mercredi.
Tout près de la place Navona, ce restaurant propose pâtes fraîches, pizzas au feu de bois (parmi les plus réputées de la ville) et plats traditionnels romains. Nous avons opté pour les raviolis et les pâtes aux fruits de mer, pour notre plus grand plaisir. On apprécie aussi l'accueil très chaleureux et le service attentionné.

■ RISTORANTE CAMPO DE' FIORI

Piazza Campo dei Fiori, 28-29
☏ +39 06 6861 661
Ouvert tous les jours, midi et soir. Compter 30 € par repas.
Certes, il est difficile de faire plus touristique que ce restaurant. Mais, il reste une valeur sûre, expressément recommandée par des locaux. Pour les fruits de mer et les viandes en sauce. L'occasion de dîner sur la place sans trop de risques !

■ RISTORANTE SANTA CRISTINA AL QUIRINALE

Via della Cordonata, 21
☏ +39 06 69925485
www.ristorantesantacristinaalquirinale.it
Ouvert tous les soirs à partir de 19h. Compter 20 à 40 € par plat.
Risotto à la citrouille, tiramisu, pâtes aux courgettes et les fameux artichauts à la juive sont à la carte de ce restaurant hors des sentiers battus. Certes, il est un peu ardu à trouver, mais le résultat vaut le détour. Pour éviter une déception, réservez à l'avance.

Alfredo : les fettucine d'Hollywood (épisode 1)

■ ALFREDO ALLA SCROFA

Via della Scrofa, 104/A
✆ +39 06 688 061 63
www.alfredoallascrofa.it
Ouvert du mercredi au dimanche de 12h30 à 15h et de 18h à 23h30. Environ 20 € le plat.
Mythique et ultra-touristique. Normal, les très hollywoodiens Douglas Fairbanks et Mary Pickford ont popularisé les *fettucine* d'Alfredo Di Lelio. Depuis, le Tout-Hollywood s'est bousculé ici, de Gary Cooper à Marylin Monroe, en passant par Sofia Loren. Aujourd'hui, Alfredo n'est plus, mais sa réputation demeure. Un coup de maître !

■ SORA LELLA

Via Ponte 4 Capi, 16
✆ +39 06 686 1601
✆ +39 06 689 740 63
www.soralella.com
Ouvert de 12h30 à 14h30 et de 19h45 à 23h. Fermé le dimanche et le mardi midi. Menus 48, 50 ou 52 € par personne, plats entre 12 et 22 €. Glace 10 €. Quoi de plus romantique qu'une petite escapade sur l'île Tibérine dont le Sora Lella est l'unique restaurant ? Un cadre élégant, une cuisine romaine raffinée avec des plats comme le flan d'aubergine aux crevettes, les *tagliatelle al ragù* et une glace aux amandes nappée d'un sirop de cédrat qui vous garantissent une soirée réussie.

🍴 THE LIBRARY

Vicolo della Cancelleria
Bistrot : N°13 – Romantic : N°7
✆ Bistrot : +39 06 89873734
✆ Romantic : +39 06 97275442
✆ Portable : +39 334 8061200
www.thelibrary.it
thelibrary@virgilio.it
Ouvert de 18h jusque tard. Bistrot ouvert aussi à midi. Comptez autour de 50 € par personne. Réservation conseillée. Des cours de cuisine sont aussi proposés.
Et voilà une des meilleures découvertes de cette année. The Library, ce sont deux restaurants très charmants, l'un à côté de l'autre : Romantic et Bistrot. Les deux sont décorés selon les principes du feng shui pour assurer une énergie et des sensations positives et accueillantes dans les salles. Tous les deux sont gérés par Dana et Alex, un adorable couple, passionné et exigeant sur le plan de la qualité des produits, dont ils tirent leurs plats originaux. En effet, il partent chaque semaine en Toscane, et ailleurs, à la recherche des ingrédients les plus frais.

■ TRATTORIA CORNACCHIE

Via del Pozzo delle Cornacchie, 25
✆ +39 06 683 014 27
www.ristorantetrattoria.it
Ouvert du lundi au vendredi de 12h30 à 15h30 et de 19h30 à 23h30, le samedi en soirée seulement. Repas de 30 à 40 € sans le vin.
Ce restaurant à la déco moderne minimaliste serait l'adresse favorite de Scarlett Johanson et John Travolta à Rome. Deux niveaux, des matériaux contemporains dans un ancien palais, une ambiance cosy, il est vrai que les lieux ont du chic et du style. La cuisine en open space permet de voir le chef, Fillipino La Mantia, à l'œuvre. Originaire de Sicile, il recompose la gastronomie de son île natale avec toutes les saveurs de la péninsule et de la Méditerranée. Les plats sont plein de saveur, les goûts sont aussi exquis que la présentation est raffinée. Une merveille pour tous les sens !

» Luxe

■ IL CONVIVIO TROIANI

Vicolo dei Soldati, 31
✆ +39 06 686 9432
www.ilconviviotroiani.com
Ouvert du lundi au samedi de 20h à 23h. Comptez 100 € pour un antipasto et deux plats.
L'une des tables les plus raffinées de la Cité éternelle, maintes fois distinguée dans la presse et les concours. Le chef, originaire de la région des Marches, vous propose des recettes audacieuses réinventant les plats traditionnels. Tous les ingrédients de la cuisine italienne sont là, savamment combinés, parfois détournés, souvent saupoudrés d'exotisme. A privilégier pour un dîner romantique.

■ IL PAGGLIACCIO

Vai dei Banchi Vecchi 129a
✆ +39 06 688 095 95
www.ristoranteilpagliaccio.it
Fermé le dimanche et les lundi et mardi midi. Ouvert de 13h à 14h30 et de 20h à 22h30. Menu dégustation à partir de 120 €.
Elle est alsacienne et excelle en pâtisserie. Il est italien et a exercé en France et dans de nombreux pays d'Asie. Marion Lichtle et Anthony Genovese ont uni leurs talents culinaires et leur créativité pour offrir à leurs hôtes un repas inoubliable. La salle est charmante, le service au top et les vins savamment sélectionnés.

■ LA ROSETTA

Via della Rosetta 9
✆ +39 06 686 1002
www.larosetta.com
Ouvert tous les jours de 12h30 à 14h30 et de 19h à 23h sauf le dimanche midi. A partir de 80 € pour deux plats.
Une table prestigieuse qui accueille même des stars internationales (Clive Owen a été vu !). Ce fut, en 1966, le premier restaurant de la capitale à proposer une cuisine entièrement tournée vers la mer. Le chef Massimo Riccioli perpétue la tradition, et poissons, crustacés et coquillages sont sublimés dans des préparations inspirées. Seul le service laisse parfois à désirer.

SHOPPING

Pas besoin de courir de tous les côtés de la ville pour un shopping réussi, le centre de Rome regroupe un grand choix de boutiques pour la mode, la déco et toutes sortes de souvenirs. En plus, la beauté des lieux est souvent une attraction en soi.

▪ ALTROQUANDO
Via del Governo Vecchio, 80
℗ +39 06 6879 825
www.altroquando.com
comunica@altroquando.com
Ouvert tous les jours de 10h à minuit.
Nino Manfredi, Vittorio Gassman, Nanni Moretti sont ici déclinés en livres, posters et autres cartes postales, pour tous les amoureux du septième art. Une mine d'or.

▪ ARION MONTECITORIO
Piazza Montecitorio, 59
℗ +39 06 67 81 103
www.libreriearion.it
promozione@libreriearion.it
Ouvert du lundi au samedi de 10h à 20h.

Shopping via Condotti.

© AUTHOR'S IMAGE – PHILIPPE GUERSAN

Politique, photographie, géographie, design, art, littérature, les librairies Arion sont une chaîne de magasins indépendants, répartis dans toute l'Italie. Piazza Montecitorio, on vous parle histoire et politique.

▪ ARTE 5
Corso Vittorio Emanuele II, 5
℗ +39 06 69 92 12 98
www.arte5roma.com
Ouvert du lundi au samedi de 10h à 19h, en août de 13h à 21h.
Un très beau magasin d'affiches en tous genres, pour ramener un souvenir de Rome à placarder sur son mur. Cinéma, art, bande dessinée, de nombreux styles sont ici représentés, sous forme de posters, de cartes postales, de canevas, de cadres.

Décorer le sapin

Si vous êtes à Rome au moment des fêtes ou durant la première semaine de janvier, ne manquez pas le très beau marché de Noël traditionnel qui se tient tous les ans sur la piazza Navona. Il y a foule, mais le décor est magique !

CAMPO DEI FIORI, PANTHÉON ET FONTAINE DE TREVI

©AUTHOR'S IMAGE - PHILIPPE GUERSAN

Marché local.

■ BARTOLUCCI
Via dei Pastini 96-98-99
✆ +39 06 6919 0894
www.bartolucci.com
Ouvert du lundi au samedi de 9h à 18h.
Approchez-vous de la vitrine et vous
y verrez un Pinocchio en bois taille
humaine, assis sur un banc. Ce qui
provoque bien sûr de nombreuses
sessions photo chez nos amis les
touristes. A l'intérieur, des jouets
en bois par centaines, de Pinocchio
évidemment, à la petite voiture, en
passant par l'avion ou la coccinelle.
Une très jolie boutique, idéale pour
ramener de très jolis petits cadeaux
aux enfants.

■ CARTOLERIA PANTHEON
Via della Rotonda, 15
✆ +39 06 68 75 313
www.pantheon-roma.it
cartoleriapantheon@tiscali.it
Ouvert du lundi au samedi de 10h à 18h.

A découvrir ici des produits de la
région de Rome, dont de très beaux
objets en cuir. Du protège-livre au
portefeuille, en passant par le porte-
carte, les sacs en cuir et les carnets
de voyages, ce magasin regorge de
trésors pour qui aime la papeterie.

■ GALLERIA ALBERTO SORDI
Piazza Colonna
✆ +39 06 691 907 69
www.galleriaalbertosordi.it
Ouvert tous les jours de 10h à 22h.
La superbe verrière de l'ancienne
galerie Colonna, un petit bijou d'Art
nouveau construit avant les années
1920, a été totalement rénovée et
rouverte en 2003. Nommée d'après le
célèbre acteur Alberto Sordi décédé la
même année. Idéale pour une session
shopping chic et une pause cappuccino dans une élégance tout italienne.

■ IBIZ
Via dei Chiavari, 39
✆ +39 06 683 072 97
*Ouvert du lundi au samedi de 9h30 à
19h30.*
Du très bel artisanat qui honore le
savoir-faire des tanneurs italiens. A
dénicher : des sacs en cuir, des chaussures, des protège-livres, des porte-
clés, des ceintures... le tout très coloré.

■ LA LIBRERIA DEL VIAGGIATORE
Via del Pellegrino, 78
✆ +39 06 688 010 48
*Ouvert de 10h à 14h et de 16h à 20h.
Fermé le dimanche et le lundi matin.*
Cette librairie est le temple des
voyageurs. Sur ses étagères,
s'alignent toutes sortes d'ouvrages
sur Rome, l'Italie et le monde entier.
Pour élargir son horizon.

■ LIBRERIA SPAGNOLA

90 Piazza Navona
✆ +39 06 6880 6950
www.libreriaspagnola.it
Ouvert du lundi au samedi de 10h à 14h et de 16h à 20h.
Sur l'une des plus célèbres places de Rome, face à l'église di Santa Agnese in Agone, cette librairie espagnole possède un excellent rayon dédié à Rome, en italien et en espagnol. On y trouvera des guides, des cartes et même les fameux carnets Hemingway, en moleskine.

■ MARCHÉ DE LA PIAZZA CAMPO DEI FIORI

Voir la rubrique Les immanquables – Points d'intérêt – La place Campo dei Fiori et son marché, p. 16.

■ ROSCIOLI

21 Via dei Giubbonari
✆ +39 06 687 5287
www.salumeriaroscioli.com
Ouvert du lundi au samedi de 7h à 19h30, fermé le dimanche.
Cette épicerie fine (annexe de la boulangerie du même nom, située à côté) a ouvert un coin bar à vins et dégustation de petits plats. Vous y trouverez de nombreuses spécialités de fromages et de charcuteries, et les meilleurs vins italiens.

■ SPAZIO SETTE

Via dei Barbieri, 7
✆ +39 06 6869 747
www.spaziosette.it
Ouvert le lundi de 15h30 à 19h30 et du mardi au samedi de 9h30 à 13h et de 15h30 à 19h30.
Situé dans un palais baroque, ce magasin de design vend sur trois étages des meubles et objets des plus grands designers italiens, notamment ceux de la célèbre griffe Alessi. Ne ratez pas les superbes fresques qui ornent les plafonds du 3e étage.

■ WONDERFOOL

Via dei Banchi Nuovi, 39
✆ +39 06 6889 2315
www.wonderfool.it
Un concept-store dédié à la mode bien sûr, homme et femme, et au bien-être. Sur place, un rayon de vêtements pointu, un barbier, un salon de massage et bien d'autres activités. Des thermes à la romaine, version 2011 en quelque sorte.

T-shirts mettant Rome à l'honneur.

CAMPO DEI FIORI, PANTHÉON ET FONTAINE DE TREVI

SORTIR

Le quartier du Campo dei Fiori et de la piazza Navona abrite un grand nombre de cafés, bars et bars à vins. Enfoncez-vous dans les petites rues adjacentes pour trouver les adresses fréquentées par les Romains. Pause cappucino en journée ou apéro prolongé, les bons lieux ne manquent pas. Périmètre historique oblige, la plupart doivent fermer à 2h du matin.

>> Cafés - Bars

BAR DEL FICO
Piazza del Fico, 26
℃ +39 06 686 52 05
Ouvert du lundi au samedi de 8h à 2h. Brunch 15 €, plats entre 5 et 6 €.
Dans un lieu si touristique, on se demande comment la piazza del Fico et son bar ont pu ainsi préserver leurs allures de village. C'est bien simple : c'est notre bar préféré dans

les environs. On y va pour un café, un sandwich, un dîner... Et on y passe la journée, tellement l'endroit est paisible et sympathique.

■ CAFFÈ PASQUINO
Via del Governo Vecchio 79
℃ +39 06 680 2529
Ouvert tous les jours de 6h30 (8h le week-end) à 2h.
Un café qui fonctionne à toute heure de la journée, pour le petit déjeuner en salle, ou l'apéritif en terrasse. L'ambiance est décontractée et le service *gay friendly*.

■ CUL-DE-SAC
Piazza Pasquino, 73
℃ +39 665 410 94
www.enotecaculdesac.com
Ouvert tous les jours de 12h30 à 15h et à partir de 19h30, sauf le lundi ; fermé au mois de mai. Repas autour de 25 €.
Plus de 3 000 étiquettes de vins italiens, ça donne soif ! Pour savourer

Coup de cœur

■ CAFFÈ DELLA PACE
Via della Pace, 5-7
℃ +39 06 686 1216
www.caffedellapace.it
Ouvert tous les jours de 9h à 2h.
Ce café plus que centenaire a conservé un look de bistrot rétro avec sa façade couverte de vigne et de jasmin, ses boiseries, son comptoir et ses guéridons en marbre, ses vieilles caisses enregistreuses et son ventilateur à palmes. Jadis repaire des gauchistes contestataires, le lieu s'est un peu embourgeoisé mais l'ambiance reste bon enfant. Aux beaux jours, on s'installe sur la superbe terrasse qui donne sur une place confidentielle avec, comme il se doit, vue sur la petite église.

le vin dans les règles de l'art, on l'accompagnera d'une assiette de jambon ou de fromage, sur le pouce. Une œnothèque branchée et bien achalandée.

■ THE DRUNKEN SHIP

Piazza Campo dei Fiori 20-21
✆ +39 06 683 005 35
www.drunkenship.com
Ouvert tous les jours de 10h à 2h. Happy hour de 17h à 20h.
Ce pub est extrêmement populaire auprès des jeunes Romains qui aiment se mêler aux Anglo-Saxons de passage. Certains soirs, l'ambiance déborde largement sur le trottoir. La bière coule à flots et, lorsque le bateau ivre ferme, la soirée se prolonge souvent sur le Campo dei Fiori.

■ L'ÉTABLI

Vicolo delle Vacche, 9/9a
✆ +39 06 976 166 94
www.etabli.it
Ouvert tous les jours de 12h30 à 2h du matin.
Le style industriel est à la mode. Voici ce que dit ce bar branché, qui vous sert un verre de vin entre deux caisses de bois et un bar en ciment. On peut aussi dîner sur place, à l'étage.

■ FLUID

Via del Governo Vecchio, 46/47
✆ +39 06 683 2361
www.fluideventi.com
Ouvert tous les jours à partir de 18h et jusqu'à 2h. Fermé en août.
Un incontournable des nuits romaines branchées. Le design futuriste est à couper le souffle et la liste de 200 cocktails (7 €) impressionnante. Apéritif de 18h à 22h, avec un buffet

qui mise aussi bien sur la qualité que la quantité. Côté ambiance, on retrouve différents styles de musique électronique avec DJs et concerts le jeudi.

■ JONATHAN'S ANGELS

Via della Fossa 16
✆ +39 06 689 3426
Ouvert tous les jours jusqu'à 2h.
Pas facile de trouver une place dans le plus célèbre piano bar de la ville. Couleurs flashy, meubles en plastique et des toilettes indescriptibles (les plus visitées de Rome) composent un ensemble où le kitsch est bien étudié. Le maître des lieux dont la photo orne tous les murs est un sacré personnage. Au piano, des artistes excentriques invitent souvent le public à pousser la chansonnette. Une ambiance vraiment étonnante.

■ OPEN BALADIN

Via Degli Specchi 6
✆ +39 06 68 38 989
www.baladin.it
A partir de 18h. Le temple de la bière italienne.... Cette brasserie sert toutes les variétés italiennes, possibles et imaginables, dans le quartier Campo dei Fiori, c'est une adresse de locaux !

■ TAZZA D'ORO

Via degli Orfani, 84
✆ +39 06 678 9792
www.tazzadorocoffeeshop.com
Après de multiples sondages parmi nos amis les Romains, Tazza d'Oro se détache parmi les meilleurs endroits pour déguster la subtile boisson chaude, si prisée des Italiens, le café. A boire au comptoir, dans une ambiance un peu chic.

» Clubs et discothèques

■ ANIMA

Via Santa Maria dell'Anima, 57
✆ +39 06 686 4021
*Ouvert tous les jours de 18h à 3h30.
Entrée libre. Bar et club.*
Une exception dans le quartier, ce club ferme après 2h du matin. Une déco post-moderne, des sièges pour s'affaler, des sushis pour grignoter et une musique de pointe entre soul, funk et house. Ou quand la jeunesse dorée rencontre les touristes branchés...

■ LA MAISON

Vicolo dei Granari, 4
✆ +39 06 68 33312
www.lamaisonroma.it
Un club niché au fin fond d'une ruelle du quartier historique, difficile à trouver et donc plutôt chic. La clientèle internationale, jeune et fortunée, s'y presse tous les week-ends pour se déhancher sur des rythmes hip-hop, pop et R&B.

» Spectacles

■ TEATRO ARGENTINA

Largo di Torre Argentina 52
✆ +39 06 684 000 311
www.teatrodiroma.net
Places de 12 à 27 €. En 1816 y fut donnée la première représentation du *Barbier de Séville*. Ce grand et beau théâtre accueille encore les représentations des plus grandes pièces du répertoire dramatique classique, ainsi que des adaptations plus modernes.

■ TEATRO VALLE

Via del Teatro Valle 21
✆ +39 06 688 037 94
Réservation du lundi au samedi de 10h à 19h. Prix des places entre 16 et 31 €.
Dans un bel édifice du XVIIIe siècle, ce théâtre présente des créations nationales et internationales avec des œuvres dramatiques et des spectacles de danse privilégiant les mises en scène contemporaines.

Teatro Valle.

© FABIO PERRONI

Colisée, Forum
et Capitole

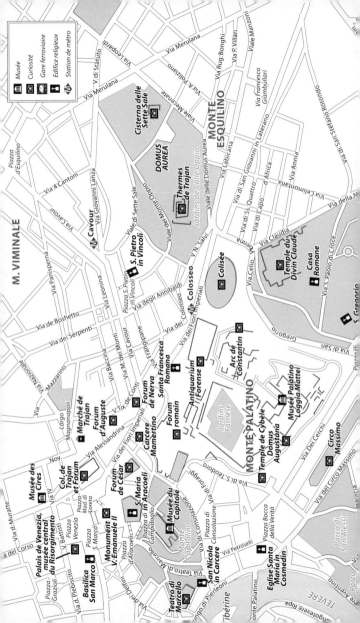

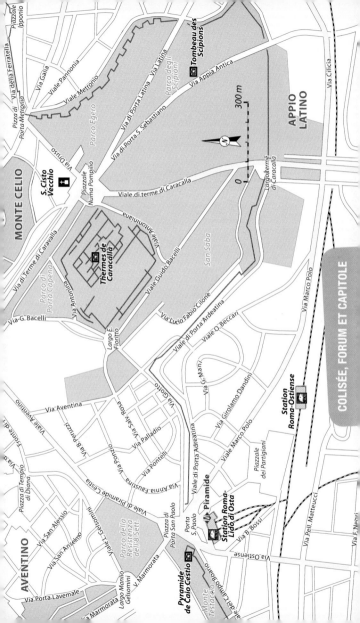

Colisée, Forum et Capitole

Ça y est, vous y êtes, la Cité éternelle dans toute sa splendeur. Ici se joue le miracle romain, le retour au pays des empereurs et des gladiateurs, soit un bond dans le temps de plus de 2 000 ans en plein centre de la modernité d'une capitale européenne. Ce quartier de visite comprend l'essentiel de la Rome antique. Le Colisée, et les sites prestigieux qui l'entourent, représente le cœur de cette zone qui s'étend de la colline du Capitole jusqu'à la via San Giovanni in Laterano et englobe la colline du Palatin, l'ouest du Celio et, plus au sud vers le Tibre, celle de l'Aventin. La colline du Capitole est la plus petite des sept collines de Rome. Elle fut habitée dès l'âge du bronze, donc bien avant la fondation de la ville. Elle comprenait à l'origine deux sommets (le Capitolium et l'Arx) dont la cuvette centrale a été comblée par l'actuelle place du Capitole (le Campidoglio). La colline, par sa position surplombant le Forum, était de la plus haute importance pour les Romains qui y avaient construit de nombreux temples. Aujourd'hui, elle est occupée par la mairie de Rome, les magnifiques musées capitoliens et l'église Santa Maria d'Arcoeli. En bas se trouvent la piazza Venezia et la via dei Fori Imperiali qui mène au Colisée.

Au-dessus des Forums impériaux, le quartier de Monti (avec la commerçante via Cavour qui grimpe vers la gare Termini) est le plus ancien de la ville. C'est un quartier à l'ambiance familiale avec beaucoup de trattorias, de bars et de boutiques, délimité par la via Panisperna au nord. Il se situe sur le versant sud de l'Esquilin. Son relief plutôt vallonné lui a donné son nom.

Surplombant également le Forum au sud-est du Capitole, la colline du Palatin est le véritable berceau de la Cité éternelle puisque c'est là que Rémus et Romulus fondèrent la ville après avoir été nourris par la louve dans l'une de ses grottes. Plus tard, les empereurs y établirent leur résidence. On peut aujourd'hui faire d'émouvantes promenades au milieu des ruines et des jardins.

Au sud du Colisée, le verdoyant Circus Maximus et les thermes de Caracalla bordent le mur d'enceinte d'Aurélien jusqu'au tombeau des Scipions alors que, derrière la belle porte San Sebastiano, la via Appia Antica file vers la campagne romaine. Cette partie de la Rome antique est bien sûr un des quartiers les plus touristiques, sinon le plus touristique, en raison de la présence massive de monuments et sites archéologiques pour lesquels il faut prévoir au moins une journée de visite. Le Colisée, le Forum romain, le Palatin sont absolument incontournables, tout comme les musées du Capitole et l'élégante place dessinée par Michel-Ange. Ajoutez-y l'église Santa Maria d'Aracoeli, celle de Santa Maria in Cosmedin (avec sa célèbre « bouche de la vérité ») ou encore les thermes de Caracalla et le tombeau des Scipions. En revanche, et même si la vue du Colisée illuminée est un moment inoubliable, ce n'est a priori pas là que vous passerez vos soirées, le quartier n'étant pas l'épicentre de la fête romaine. Cela dit, on trouve de bonnes adresses pour déjeuner ou boire un verre dans le quartier de Monti, d'autres également entre le Colisée et l'église San Giovanni (*ce quartier est traité dans la partie « Termini, Celi, Esquilin »*). Dans tous les cas, il est bon de s'attarder dans le coin jusqu'en fin de journée pour profiter de la douce lumière du soleil couchant sur les ruines antiques. Pas grand-chose à signaler non plus côté shopping (mais qu'importe, vous n'êtes pas là pour ça !) en dehors des souvenirs un peu kitsch type Colisée sous la neige et porte-clés. Dans le même genre, notez que d'authentiques faux gladiateurs vous proposent de prendre la pose (mais ils demandent ensuite une dizaine d'euros !). Aucun souci pour rejoindre la ville antique d'où que vous logiez. Pratiquement tous les bus de la ville passent par la piazza Venezia, et une station de métro (ligne B) se trouve juste en face du Colisée et rejoint le Circo Massimo. Pour rejoindre directement le quartier de Monti : métro Cavour.

© PICSFITALIA.COM

Terme di Traiano.

VISITER

Pas de quoi s'ennuyer au milieu des ruines antiques, des musées et des églises qui vous occuperont durant une bonne journée. Essayez de vous promener sur la colline du Palatin en fin d'après-midi pour vivre des instants magiques lorsque le soleil décline et éclaire de sa lumière dorée les vestiges des villas impériales.

■ 3D REWIND ROME
Via Capo d'Africa, 5
✆ +39 06 770 76627
Fax : +39 06 772 01458
www.3drewind.com
booking@3drewind.com
A 2 minutes à pied du Colisée.
M° Colosseo – Tram : n°3
Bus : 60-75-81-117-175-271-673
Ouvert tous les jours de 9h à 19h. Les visites commencent chaque 15/20 min. Réservation obligatoire seulement pour les groupes de plus de 20 personnes. Durée de la visite : 1 heure environ. Adultes : 15 €, 6-12 ans : 8 €, moins de 5 ans :

gratuit. Audioguides en français. Avec ce billet, évitez l'attente au Colisée en demandant le voucher « skip the line ». Découvrez la Rome Antique grâce à cette visite interactive en 3D. Sous vos yeux, les gladiateurs s'animent, les monuments se construisent et la vie quotidienne de Rome devient réelle. Rien de tel que cette expérience pour découvrir les secrets de la civilisation éternelle.

■ ARC DE CONSTANTIN
Via di San Gregorio – Forum romain
A côté de l'entrée du Colisée se trouve l'un des monuments antiques les mieux conservés de la Ville éternelle. Haut de 21 m et large de 26 m, il célèbre la victoire de l'empereur Constantin sur Maxence à la bataille du pont Milvius en 312 apr. J.-C. A l'époque, l'Empire est appauvri et, pour construire de nouveaux monuments, on récupère les matériaux sur les anciens. Ainsi, les statues de la face nord de l'arc représentant des prisonniers daces proviennent du forum de Trajan, les bas-reliefs qui les entourent viennent

L'Arc de Constantin et le Colisée.

Tombeau de Jules II, San Pietro in Vincoli.

d'un monument à Marc Aurèle et les médaillons ronds illustrent la passion d'Hadrien pour la chasse. Idem sur la face sud, les bas-reliefs sont des scènes de chasse de Marc Aurèle. Du coup, ce monument du IVe siècle offre un bel échantillon de l'art du IIe siècle, et son influence sur l'art de la Renaissance fut aussi grande que celle du Colisée.

■ AVENTIN

L'Aventin est la colline de la Rome antique qui fait suite au Palatin, le long du Tibre vers le sud. Cette colline est constituée par deux sommets, l'Aventin majeur et l'Aventin mineur, mieux connu sous le nom de San Saba. Zone plébéienne à l'époque républicaine, l'Aventin fut le théâtre de la première grève avérée de l'Histoire. De nos jours, l'Aventin est un quartier résidentiel élégant et boisé, silencieux et très peu fréquenté, où la jet set habite dans de splendides villas au milieu de nombreux couvents paléochrétiens sur le sommet de la colline (S. Sabina, S. Saba, S. Prisca).

▶ **Allez-y de nuit** et remontez la via Santa Sabina, jusqu'en haut. Au sommet, se tient le prieuré des Chevaliers de Malte, sur la piazza dei Cavallieri di Malta. Dirigez-vous vers la porte qui ferme le domaine et regardez à travers le trou de la serrure... Magie garantie ! Parfois, quelques touristes ou Romains y font la queue.

■ BASILIQUE SAN MARCO EVANGELISTA AL CAMPIDOGLIO

Piazza San Marco 48
Ouvert mardi au samedi de 8h30 à 12h et de 16h à 18h30, dimanche de 9h à 13h et de 16h à 20h.
C'est Jean-Paul II qui l'annexa au palais de la piazza Venezia adjacente. Elle date du pape Marc, qui la fit construire en 336 apr. J.-C. Remaniée au IXe siècle, elle fut dotée d'un clocher au XIIe. La façade date de la Renaissance. L'intérieur est la partie la plus intéressante, car le plan basilical (IVe et IXe siècles) est l'un des mieux conservés de Rome.

■ BASILIQUE SAN PIETRO IN VINCOLI

Piazza San Pietro in Vincoli, 4a
M° Cavour.
Ouvert tous les jours de 8h à 12h30 et de 15h30 à 19h (en hiver jusqu'à 18h).
Il ne reste pas grand-chose de la structure d'origine fondée en 442. Mais cette basilique est très célèbre pour deux raisons. La première : elle conserve sous l'autel principal une précieuse relique, celle des chaînes (*vincoli*) qu'aurait portées saint Pierre dans sa prison de Jérusalem. La seconde : elle abrite le célèbre *Moïse* de Michel-Ange qui orne le tombeau du pape Jules II dans la nef de droite. Selon la légende, le sculpteur qui ne parvenait pas à terminer son œuvre aurait interpellé Moïse : « Mais parle donc ! »

Les forums impériaux

Ils se trouvent en face du Forum romain, de l'autre côté de la via dei Fori Imperiali. Il n'en reste pas grand-chose, mais voici les quelques vestiges épargnés par les siècles :

■ FORUM DE CÉSAR
Forums impériaux
Trois colonnes et un podium sont les seuls vestiges de ce temple dédié à Venus Genitrix, mère d'Enée, que César comptait parmi ses ancêtres.

■ FORUM DE NERVA
Forums impériaux
Peu de choses encore subsistent de ce forum entrepris par l'empereur Nerva à la fin du Ier siècle. Au centre se dressait un temple dédié à la déesse Minerva. Malheureusement, dès le XVIe siècle, le forum servit de carrière pour alimenter les nombreux chantiers princiers alors en cours.

■ FORUM DE TRAJAN
Forums impériaux
Sa colonne est célèbre. Haute de 10 pieds romains, correspondant à 30 m, elle relate sur 17 anneaux de marbre les campagnes victorieuses de Trajan contre la Dacie, la Roumanie actuelle. Les 2 500 scènes qui ornent la colonne donnent de très précieuses indications sur les techniques et équipements militaires de l'époque. Des moulages exposés à l'EUR-musée de la Civilisation romaine permettent d'en analyser les détails. Le socle de la colonne abritait l'urne funéraire de l'empereur Trajan.

■ MARCHÉS DE TRAJAN ET MUSÉE DES FORUMS IMPÉRIAUX
94 Via 4 Novembre, 94
Forums impériaux
✆ +39 06 060 608
www.mercatiditraiano.it
Ouvert du mardi au dimanche de 9h à 18h (19h l'été). Entrée 8,50 €, réduit 6,50 €.
Ici se tenait ce que l'on pourrait appeler le grand centre commercial de la Rome antique. On peut imaginer les boutiques, les rues et voir les ruines de la basilique Ulpia et le seul vestige resté en bon état : la colonne de Trajan. Le tout évoque un peu les bazars orientaux. Les marchés de Trajan abritent aujourd'hui le musée des Forums impériaux, c'est-à-dire les vestiges des divers forums impériaux (statues, chapiteaux, colonnes...). En sortant du marché, on suit le forum d'Auguste, on passe devant la maison des chevaliers de Rhodes et l'arc de Pantani.

La colonne Trajane au forum de Trajan.
© AUTHOR'S IMAGE

Fori Imperiali (forums impériaux) et colonne de Trajan.

■ BASILIQUE SANTA MARIA D'ARACOELI

Piazza Campidoglio, 55
✆ +39 06 6976 3839
Ouvert de 9h à 12h30 et de 16h à 18h.
C'est l'une des églises les plus célèbres de Rome, une petite merveille du patrimoine historique et culturel. Selon la légende, l'empereur Auguste aurait construit là un autel après qu'une sybille lui eut prédit l'avénement du Christ. Au VIe siècle, au même emplacement fut construit un monastère, puis une église. On y accède par un escalier de 124 marches de marbre, offert en ex-voto à la Vierge pour la remercier d'avoir sauvé la ville de la peste en 1346. De la terrasse de l'église, une très belle vue s'offre sur la ville et la place du Capitole. On entre dans l'église par une porte latérale surmontée d'une mosaïque représentant la Vierge et l'Enfant. C'est l'œuvre des Cosmates, célèbre famille de marbriers, actifs du XIIe au XIVe siècle, dont les mosaïques ornent les églises romaines du Moyen Age. L'intérieur de l'église est richement décoré avec notamment au plafond, un ex-voto illustrant la bataille de Lépante gagnée contre les Turcs. Dernière église à adopter le plan basilical, sa nef est bordée de 22 colonnes antiques provenant du Forum et du Palatin. Plusieurs tombeaux, dont celui du pape Grégoire XIII, se trouvent là, ainsi que de nombreuses fresques et sculptures de diverses époques.

© AUTHOR'S IMAGE

Le Forum romain et le Palatin.

Les ruines du Palantin

La colline est le berceau de Rome. Le nom vient de Pales, déesse des pâturages. C'est là que Romulus aurait fondé la ville en 753 av. J.-C. Sur le flanc ouest de la colline en direction du Tibre, les archéologues ont trouvé les traces d'un village primitif (cabanes Romulus) qui remonte à l'âge du bronze. Le Palatin deviendra la résidence des empereurs. D'abord Auguste, le premier empereur romain qui habita à côté des cabanes primitives, puis Néron qui bâtit sa Domus Transitoire et, vers la fin du Ier siècle de notre ère, Domitien qui fit construire un palais grandiose, la Domus Flavia, qui devint par la suite la résidence officielle de tous les empereurs. La colline sera abandonnée au VIe siècle après les invasions barbares. Au Moyen Age, on trouve sur le Palatin quelques couvents, mais c'est à la Renaissance que s Farnèse, puis les Barberini lui redonnent vie. A propos du jardin Farnèse, réalisé par l'architecte Vignole et où vous pourrez vous promener en admirant les vues magnifiques sur la ville, on dit que c'est le premier jardin botanique du monde. A partir du XVIIIe siècle, on entreprend des fouilles qui continuent encore aujourd'hui et qui conduisent sans cesse à de nouvelles découvertes.

La visite est aujourd'hui combinée avec celle du Colisée, les horaires sont identiques. On y accède par la via Nova (dans le Forum) ou par la via San Gregorio. Les plus beaux vestiges du Palatin sont :

■ DOMUS AUGUSTANA OU PALAIS DE DOMITIEN
Palatin

Un palais majestueux, il s'agissait de bien signifier au voyageur venu d'Orient qui était le maître du monde, en l'occurrence l'empereur Domitien. Derrière la domus se trouvaient une basilique, dans laquelle siégeait le tribunal de l'empereur, et un palais d'apparat, le palais Flavien (Domus Flavia) destiné aux réceptions. La conception de Versailles n'était pas très différente. Visible à côté de la domus, à l'est, le stade était réservé aux exercices de l'empereur et de sa cour. Plus loin se trouvent les thermes construits sous Septime Sévère.

JARDINS FARNÈSE
Palatin

Les pavillons et les jardins furent érigés par le cardinal Alexandre Farnèse sur les ruines du palais de Tibère au XVIIᵉ siècle. Il s'agit du premier jardin botanique qui ait jamais existé. Très belle vue sur le Forum depuis les terrasses.

MAISON D'AUGUSTE
Palatin

Dès l'an 30 av. J.-C., Auguste établit sa résidence sur le Palatin, à côté des cabanes de Romulus car l'empereur tenait à marquer sa filiation avec le fondateur légendaire. Un bâtiment moderne et sans grâce domine le paysage. Il s'agit de l'Antiquarium, qui rassemble les objets mis au jour au cours des fouilles. Ce bâtiment est au centre du palais construit par Domitien (81-96 apr. J.-C.) et qui devint la résidence officielle des empereurs pendant trois siècles, jusqu'à ce que Constantin transfère la capitale à Byzance. La résidence impériale était orientée au sud, tournant le dos au Forum, qui avait perdu son importance, et dominant le Circus Maximus.

TEMPLE DE CYBÈLE
Palatin

Le culte de Cybèle, déesse de la fertilité venue d'Orient, fut introduit à Rome en 200 av. J.-C.

VILLAGE HISTORIQUE
Palatin

Il s'agit des quelques restes d'un village datant du IXᵉ siècle av. J.-C. qui correspondrait, selon la tradition, au village fondé par Romulus.

Mont Palatino.

■ BASILIQUE SANTA SABINA

Piazza Pietro d'Illiria – L'Aventin
Ouverte de 6h30 à 12h45 et de 15h à 19h.

Santa Sabina est une église très particulière. Elle fut bâtie au Ve siècle sur le lieu où aurait vécu sainte Sabine. Elle fut donnée à saint Dominique qui la transforma en couvent. Pendant la Renaissance et la Contre-Réforme, on recouvrit l'église d'origine de décors à la mode. Les travaux effectués récemment ont rendu à Santa Sabina son aspect premier. Cependant, il n'a pas été possible de recréer les mosaïques datant du Ve siècle. L'intérieur, qui se présente comme l'archétype d'une basilique à trois nefs, fait le bonheur des spécialistes. Mais on n'y éprouve pas l'émotion que procure San Clemente. La porte en bois sculpté du Ve siècle représente des épisodes de l'Ancien et du Nouveau Testament. Au-dessus de la porte d'entrée se trouvent quelques restes d'une intéressante mosaïque représentant les deux sources de l'Eglise, l'une juive, l'autre païenne.

■ CAPITOLE

Piazza del Campidoglio 1
✆ +39 06 06 08
Voir la rubrique Les immanquables – Points d'intérêt – La place du Capitole et ses musées, p. 10.

■ CASE ROMANE DEL CELIO (FONDATIONS DE LA BASILIQUE SAN GIOVANNI E PAOLO)

Clivo di Scauro
✆ +39 06 704 545 44
www.caseromane.it
M° Circo Massimo

Ouvert du jeudi au lundi de 10h à 13h et de 15h à 18h. Fermé le mardi et mercredi. L'entrée se fait toutes les 30 minutes. Tarif : 6 €.

San Giovanni e Paolo est une église romane dont l'origine remonte au Ve siècle et qui, curieusement, s'apparente plus au style roman lombard qu'au type basilical romain classique. C'est particulièrement visible au niveau de l'abside et du campanile. L'intérieur a été entièrement décoré au XVIIIe siècle et ne présente pas grand intérêt. Ce sont en fait les sous-sols de la basilique (auxquels on accède par la rue antique Clivo di Scauro) qu'il faut visiter. Il s'y trouve une zone archéologique (découverte en 1887 seulement, par le recteur de la basilique), deux maisons patriciennes datant des IIIe et IVe siècles, construites sur deux étages et séparées par une sorte de patio orné de fresques païennes très intéressantes (voir *Proserpine revenant des enfers*). A l'étage inférieur, une procession d'hommes portant des brebis et des attitudes de prière marquent le tournant chrétien. Enfin, dans une sorte de réduit se trouve la « confession », la sépulture où sont représentés les martyrs. L'ensemble est un témoignage direct des derniers soubresauts du monde païen.

■ CIRCO MASSIMO

Via del Circo Massimo
M. B Circo Massimo
Bus 81, 160, 628, 715, 810.

C'était le plus grand édifice du monde antique, devant l'hippodrome de Byzance. Installé dans le Val Murcia qui sépare le Palatin de l'Aventin, il fut réalisé par les Tarquins au VIIe siècle

© STÉPHANIE SAVIGNARD

Statue au pied de l'hôtel de ville.

av. J.-C. pour les fêtes religieuses et les courses de chars. Long de 700 m et large de 200 m, il pouvait accueillir près de 250 000 Romains, tribuns du côté du Tibre, peuple en face. Le soutien sportif était semblable à celui d'aujourd'hui. Des bagarres et des altercations naissaient souvent parmi les supporters des diverses factions. Au centre se trouvait l'obélisque que l'on voit aujourd'hui sur la place Saint-Jean-de-Latran. Le dernier spectacle fut offert aux Romains par Totila en 549.

■ **COLISÉE**
Piazza del Colosseo
✆ +39 639 967 700
Voir la rubrique Les immanquables – Points d'intérêt – Le Colisée, p. 7.

■ **DOMUS AUREA**
Viale della Domus Aurea
(jardins de Colle Oppio)
✆ +39 06 853 027 58
Fermé au public pour une durée indéterminée suite à l'effondrement partiel du plafond le 30 mars 2010.
Le grand œuvre de Néron, imaginé après le grand incendie de l'an 64, où s'exprime toute la démesure d'un empereur mégalomane. La demeure était colossale, près de 300 m de longueur avec tout autour un parc de plus de 80 ha et un lac qui sera plus tard occupé par le Colisée. En 104, sous Trajan, la Domus Aurea fut complètement détruite suite à un autre incendie. On construisit par-dessus les thermes de Trajan, dont on peut voir de nombreux restes. A la Renaissance, une partie de la Domus Aurea fut découverte et visitée par des artistes qui reprendront les motifs décoratifs. La formule du stuc fut alors redécouverte. De cette mode est inspirée par exemple la loggia de Raphaël, au Vatican. Quelques vestiges subsistent de cette splendide demeure : des pans de murs peints, une nymphe, mais surtout la salle octogonale où Néron organisait ses banquets et qui fut décrite par Pétrone (écrivain latin de l'entourage de Néron) dans son fameux *Satyricon*.

COLISÉE, FORUM ET CAPITOLE

◼ DOMUS ROMANE DI PALAZZO VALENTINI

Via IV Novembre, 119/A
✆ +39 06 32 810
www.palazzovalentini.it
Ouvert tous les jours, sauf le mardi, de 9h30 à 17h. Entrée 6 €.
Des ruines d'anciennes maisons romaines ont été découvertes sous le Palais Valentini. Après avoir été mises au jour et préservées, elles sont désormais accessibles. Elles réservent au visiteur un passionnant voyage de l'Antiquité au Moyen Age. On présume que ces maisons appartenaient à des sénateurs, qui les avaient faites décorer de mosaïques et moulures encore visibles.

Thermes de Caracalla.

◼ ÉGLISE SANTA MARIA IN COSMEDIN

Piazza Bocca della Verità 18
L'Aventin
Ouverte de 9h à 13h et de 15h à 18h.
De loin déjà, on est charmé par son élégant campanile élancé vers le ciel. Cette petite église dont l'origine remonte au VIe siècle – mais dont la forme actuelle date du XIIe siècle – est l'une des plus émouvantes de la ville. Les trois nefs de plan basilical abritent des colonnes antiques et de très belles mosaïques qui restituent bien l'atmosphère des églises médiévales. Mais ce qui attire les foules, c'est une plaque ronde sculptée, représentant sans doute la face de Neptune et percée en son milieu d'une bouche béante, la Bocca della Verità, censée mordre les menteurs qui présenteraient leur main. Vous pourrez donc tester votre sincérité et votre courage.

◼ FORUM ROMAIN

Via dei Fori Imperiali
✆ +39 639 967 700
Voir la rubrique Les immanquables – Points d'intérêt – Le Forum romain, p. 8.

◼ IL VITTORIANO – MUSÉE DE LA RENAISSANCE ITALIENNE

Piazza Venezia, entrée par Via San Pietro in carcere
✆ +39 06 6793 598
www.risorgimento.it
Ouvert tous les jours de 9h30 à 18h30. Entrée gratuite.
C'est d'abord le monument, dédié au roi Vittorio Emanuele II que l'on aperçoit. Cet imposant autel,

construit entre 1885 et 1888, rend hommage aux conquêtes du roi Vittorio Emanuele II, que l'on peut voir représenté devant le bâtiment, juché sur son cheval. Le monument est plus couramment appelé Altare della Patria ou simplement Vittoriano. En son sein, le musée de l'histoire moderne italienne présente une multitude de documents qui retracent les événements aboutissant à l'unification et à la naissance de la République. Une installation vidéo illustre aussi les performances de l'armée italienne durant la Première Guerre mondiale.

■ PALAIS VENEZIA

Via del Plebiscito, 118
℃ +39 06 6999 4284
Voir la rubrique Campo dei Fiori, Panthéon et fontaine Trevi – Visiter.

■ PALATIN

Berceau de Rome, cette colline a vu naître la Cité éternelle, sous l'impulsion de Romulus, qui y aurait posé les premières fondations en 753 av. J.-C.

■ THERMES DE CARACALLA

Viale delle Terme di Caracalla 52
L'Aventin ℃ +39 06 399 677 00
www.archeorm.arti.beniculturali.it
ssba-rm@beniculturali.it
Ouvert tous les jours de 9h à 1h avant le coucher du soleil. Entrée 6 €. Gratuit pour les moins de 18 ans et demi-tarif pour les 18-24 ans + cartes et réductions. Des thermes ont été construits un peu partout dans la Rome impériale, mais aucun n'a été aussi préservé que ceux-ci. Bien que dépouillés de leurs marbres et de leurs mosaïques, ils offrent un exemple important de l'architecture romaine : plan axial, symétrie et fonctionnalisme. Avec une superficie de 120 000 m², les thermes de Caracalla pouvaient recevoir simultanément 1 500 personnes. Ils comprenaient gymnase, bibliothèque, salle de spectacles et de musique, ainsi que de grands jardins. L'enceinte en forme de portique a disparu (il fallait bien trouver quelque part les forêts de colonnes antiques qui ornent les églises de Rome), on entre donc aujourd'hui par ce qui fut le *frigidarium*. Sur la droite se trouvaient les vestiaires et un gymnase. De là, on passait dans une salle sèche, très chaude, puis dans le *caldarium* où l'on prenait un bain chaud pour se laver, ensuite au *tepidarium*, piscine d'eau tiède, et au *frigidarium*, grande piscine froide. L'eau était chauffée grâce à un système de tuyauterie en terre cuite qui se trouvait sous le pavage ou sous les marbres des murs et dans lequel circulait l'air chaud provenant des grands fours situés sous les thermes. Ces fours étaient continuellement alimentés en bois par de nombreux esclaves. Construits sous le règne de Caracalla, de 212 à 217 apr. J.-C., les thermes restèrent en service jusqu'au VIe siècle, époque durant laquelle les Goths détruisirent l'aqueduc qui les alimentait. On a trouvé dans ces thermes de nombreuses œuvres d'art, dont certaines très célèbres : l'*Hercule Farnèse*, les deux vasques de porphyre de la place Farnèse, la plupart des mosaïques exposées au Vatican… Récemment, on y a mis au jour un temple de Mithra.

■ TOMBEAU DES SCIPIONS

Via di Porta San Sebastiano
L'Aventin

On y accède par la via di Porta San Sebastiano. Le tombeau des Scipions, des Cornelia, grande famille patricienne, se trouvait hors de la ville à l'époque de la Rome républicaine (IIe siècle av. J.-C.). Au IIIe siècle apr. J.-C., l'empereur Aurélien fait rebâtir de nouveaux remparts à Rome. Entre temps, la ville s'était étendue, et c'est ainsi que le tombeau des Scipions est dans l'enceinte alors que la tradition romaine était plutôt d'enterrer les morts en dehors des remparts. Cette nécropole familiale, découverte au XVIIe siècle, a fourni de précieux documents sur l'époque républicaine. On peut y voir divers sarcophages et inscriptions latines qui enchanteront les connaisseurs. Derrière le tombeau des Scipions et les remparts commence l'Appia Antica.

SE RESTAURER

Entre les monuments et les voies de circulation, le quartier n'est pas le plus propice pour se restaurer. Vous trouverez néanmoins quelques adresses, en particulier dans le rione Monti et derrière le Colisée (voir aussi, pour les ruelles allant vers San Giovanni, le quartier du Celio). Quelques établissements assez chics offrent une vue spectaculaire sur les ruines, mais, côté gastronomique, on trouve mieux dans d'autres quartiers.

» Sur le pouce

■ CAFFÈ CAPITOLINO

Piazza Caffarelli 4
℗ +39 06 691 905 64
Fermé le lundi. Ouvert de 9h à 20h.
Boire un café sur la terrasse d'un palais, en l'occurrence celui de Cafarelli, seule Rome peut vous offrir

© AUTHOR'S IMAGE – PHILIPPE GUERSAN

L'incontournable glace italienne.

Tout près du Capitole, ce glacier satisfait les papilles de sorbets à base d'ingrédients issus de l'agriculture biologique. La carte est longue et cela prend du temps de choisir parmi les granités, yoghurts maison, tiramisu et autres panacotta.

■ IL GELATONE
Via dei Serpenti, 28 – Monti
Un glacier de haut vol, pour finir la soirée en beauté dans Monti !

» Bien et pas cher

■ LA BOTTEGA DEL CAFFÈ
Piazza Madonna dei Monti, 5
℡ +39 06 47 41 578
M° Cavour
Ouvert tous les jours à partir de 10h. Compter 8 à 10 € pour un plat.
Un café au coeur du quartier Monti, sur la place principale, face à l'église. On y vient pour un déjeuner léger, de carpaccio ou de salade, ou pour un *aperitivo* de fin de journée.

■ IL BOCCONCINO
Via Ostilia, 23
℡ +39 06 7707 9175
www.ilbocconcino.com
M° Colosseo.
Ouvert tous les jours de 11h à 23h, sauf le mercredi.
Une excellente *trattoria*, à quelques pas du Colisée, en retrait de la via San Giovanni Laterano. Elle est dotée d'une petite terrasse et d'une agréable salle climatisée, au décor rustique et simple. On aime cette cuisine typique, qui s'adapte aux saisons et respecte les traditions culinaires romaines.

ce plaisir. La vue sur la ville y est exceptionnelle, le café délicieusement italien. *Perfetto* !

» Pause gourmande

■ CIURI CIURI
Via Leonina, 18/20
℡ +39 06 454 445 48
www.ciuri-ciuri.it
M° Cavour
Ouvert tous les jours de 9h à minuit.
A Monti, on ne jure que par lui. Le glacier Ciuri Ciuri ravive le palais de ses saveurs siciliennes. Des glaces sont à déguster bien sûr, mais aussi de petits gâteaux, aux noms douceureux, *cassata siciliana, cioccolato di Modica, pasticini di mandorla...* à base d'amandes, de ricotta...

▌ **Autres adresses :** Via Labicana, 126-128 (Celio) • Piazza San Cosimato, 49b (Trastevere).

■ GELATERIA ARA COELI
Piazza Ara Coeli 9
℡ +39 06 679 5085
www.gelateriaaracoeli.com

COLISÉE, FORUM ET CAPITOLE

95

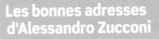

Les bonnes adresses d'Alessandro Zucconi

Alessandro Zucconi est un passionné : de langues étrangères, d'architecture, de rencontres et... de Rome ! Né ici, au cœur du quartier de Monti, le plus ancien quartier de Rome – selon ses habitants – il a la verve, l'humour et l'enthousiasme des véritables Romains. Polyglotte, il a étudié de nombreuses langues, dont le français et les langues slaves, et a vécu dans plusieurs pays. Il connaît donc la sensation d'être en terre inconnue, la nécessité de saisir quelques bons plans au vol et l'importance de découvrir les us et coutumes locales. Alessandro est celui qui nous a appris comment manger les pâtes

À chacun ses pâtes !

correctement (avec la serviette autour du cou si on craint les taches, sans jamais les couper et surtout pas avec du pain), que se faire insulter à Rome fait partie du folklore et vient bien souvent sans aucune méchanceté, et que se moquer de la religion catholique et de ses protagonistes est un acte de résistance traditionnel à entretenir, même lorsque l'on va à la messe tous les dimanches, comme l'on fait avec la politique ! Cette Rome au caractère bien trempé, Alessandro nous la présente à travers ses adresses préférées :

▶ **Pour le shopping,** évitez la via del Corso et la zone de la Piazza di Spagna, et rendez-vous sur la Via Appia Nuova (métro San Giovanni).

▶ **Les achats alternatifs et branchés** se font sur la via del Boschetto et la via del governo vecchio (piazza Navona).

▶ **Pour déjeuner,** rendez-vous à la pizzeria La Pecora Pazza, dans le quartier de la Piazza di Spagna.

▶ **Un repas romain traditionel** se prendra chez Il Bocconcino, derrière le Colisée.

▶ **Dans le Trastevere,** on choisira la *trattoria* La Scala, pour une pizza ou un plat de cuisine typique.

▶ **La plus grande sélection de bières,** uniquement italiennes, se boit chez Open Baladin, une vraie brasserie ouverte uniquement le soir.

▶ **Un verre de vin** se choisit chez Cul-de-Sac.

▶ **Pour finir la soirée,** une glace ne se refuse jamais, foncez dans Monti chez Il Gelatone, pour une expérience ultra-romaine.

■ LA TAVERNA DEI FIORI IMPERIALI

Via della Madonna dei Monti, 9
✆ +39 06 679 8643
www.latavernadeifioriimperiali.com
M° Cavour

Ouvert du mercredi au lundi de 12h30 à 15h et de 19h à 22h30, fermé le mardi.

Nous l'avons dit, dans cette zone c'est à Monti qu'il faut déjeuner. A vérifier dans cette excellente *trattoria*, où *prosciutto* avec du melon ou *mozzarella di bufala* sont à la carte. A faire suivre par des *papardelle a la carbonara* ou des crevettes sautées au citron. En accompagnement, on ne manquera pas les courgettes (*zucchine*) et les artichauts (*carciofi alla romana*).

■ LA TAVERNA DEI MONTI

Via del Boschetto, 41
✆ +39 06 481 7724
www.tavernadeimonti.com
M° Cavour

Ouvert tous les jours midi et soir. Comptez 7 € pour les antipasti*, de 7 à 12 € pour les* primi*, de 10 à 18 € pour les* secondi*.*

Le quartier général des habitants de Monti, qui viennent ici manger en famille. Un petit tour par le buffet d'antipasti vous met en appétit, avant d'attaquer les pâtes *cacio e pepe* (fromage de brebis et poivre), *all'amatriciana* (lardons et tomates) ou *al vongole* (palourdes). Comme tout Romain qui se respecte.

■ URBANA 47

Via Urbana, 47
✆ +39 06 478 840 06
www.urbana47.it
M° Cavour.

Ouvert tous les jours de 9h à minuit. Comptez environ 15 € par personne.

En terrasse ou salle, on expérimente ici le principe du kilomètre 0, qui signifie que tous les produits utilisés viennent des alentours, afin de limiter les émissions de gaz liées au transport de nourriture. Tout est sain, goûteux et traditionnellement romain.

Tous les ingrédients pour réaliser une bonne pizza.

COLISÉE, FORUM ET CAPITOLE

>> Bonnes tables

■ LA CARBONARA

Via Panisperna, 214 – Monti
☏ +39 06 482 5176
www.lacarbonara.it
Fermé le dimanche. Entre 25 et 35 €.
Compter 20 à 40 € pour une bouteille
de vin.
Les fans de spaghettis à la carbonara
se doivent absolument de goûter
ceux de Donna Teresa, la patronne
aux fourneaux de ce restaurant
fréquenté par les VIP du quartier de
Monti. Attention, ne pas confondre
cette adresse avec La Carbonara
qui se trouve sur le Campo dei Fiori.
Ici, l'ambiance est familiale et les
Romains bien présents dans la salle
à la fois élégante et chaleureuse.

■ LE NAUMACHE

Via Celimontana 7
☏ +39 06 702 764
Ouvert tous les jours. Repas complet
environ 20 €.
Des spécialités typiquement romaines
dont les généreuses *fettuccine al sugo*
di luganega. Une bonne adresse si
l'on considère le petit jardin, la toute
proche villa Celimontana, les plats
plutôt économiques et les portions
abondantes.

■ RISTORANTE TEMA

Via Panisperna, 96/98
☏ +39 06 486484
www.ristorantetema.com
Compter 20 à 40 € par repas.
Un restaurant de poissons, qui s'illustre étonnamment par ses plats de
pâtes, aux câpres, à la carbonara,
all'arrabiata. Evidemment, la carte

propose aussi de nombreux poissons
au four, ainsi que des fruits de mer en
sauce. Un bon point pour le service
chaleureux.

■ LE TAVERNELLE

Via Panisperna, 48
☏ +39 06 474 0724
www.letavernelle.it
M° Cavour
Fermé le lundi et les trois dernières
semaines d'août. Comptez 30 € par
personne.
Vous êtes dans l'un des plus anciens
restaurants de Rome, dont la réputation n'a jamais failli. Federico
Felllini avait ici sa place réservée
(en témoigne son authentique chaise
de metteur en scène accrochée au
mur). Le chef Nicola Ambrosina aussi
reçu Robert De Niro et même le pape
Jean-Paul II, comme en attestent les
photos sur le mur. Le poisson est à
l'honneur sur la carte. En dessert, le
gâteau Dolce Vita, est réalisé par le
chef en hommage à Fellini.

>> Luxe

■ VECCHIA ROMA

Piazza Campitelli, 18
☏ +39 06 686 4604
www.ristorantevecchiaroma.com
Ouvert tous les jours, sauf le mercredi,
de 12h30 à 14h30 et de 19h à 23h.
Fermeture annuelle en août. Compter
50 € par personne.
Une situation charmante, doublée
d'un décor élégant, caractérisent ce
restaurant traditionnel, connu pour
ses fruits de mer d'exception. On
y mange superbement bien depuis
1870, allez-y les yeux fermés !

SHOPPING

Ne nous voilons pas la face, la Rome antique n'est pas (plus) le centre du shopping. Parmi les Colisée en plastique et les accessoires de gladiateurs vendus à l'entrée des sites, on peine à dénicher de jolis bibelots. Exception faite du quartier de Monti (encore !) où en flânant à travers les ruelles, on rencontre des boutiques originales et tendance, délaissées des touristes. Sachez toutefois qu'à Monti, les loyers sont les plus chers de la capitale et les boutiques suivent le pas.

■ B

Piazza Madonna dei Monti 1
ℰ +39 06 478 263 35
Ouvert du lundi au samedi de 10h à 20h.
Coco Chanel ne jurait que par le blanc et le noir. B en fait de même. Pour être au summum du chic, il vous faudra donc une adorable petite robe noire, vendue ici, à un prix quelque peu glaçant. Coco n'aurait pas hésité.

▶ **Autre adresse :** Outlet : via dei Serpenti, 161.

■ LOL

Piazza degli Zingari, 11
ℰ +39 06 4814160
Ouvert du lundi au samedi de 10h à 20h.
Le jumeau de B, dans le quartier de Monti. Les propriétaires jouent sur le chic qui se paie à prix d'or. Une fois qu'on est au courant, il ne nous reste plus qu'à entrer, pour nous ruiner avec l'un de ces beaux bijoux argentés.

▶ **Autre adresse :** Via Urbana 89.

■ SUPER

Via Leonina 42
ℰ +39 06 9826 6450
www.super-space.com
Ouvert le lundi, de 15h30 à 20h, du mardi au samedi de 10h30 à 13h30 et de 15h30 à 20h. Fermé le dimanche.
Super, un magasin ultra-snob. On finissait par croire que Rome était en retrait, mais grâce à Super, elle rattrape Milan et impose un style contemporain, alternant pièces vintage et créations originales. Vêtements, accessoires et meubles.

© AUTHOR'S IMAGE - PHILIPPE GUERSAN

SORTIR

■ AI TRE SCALINI BOTTIGLIERIA DAL 1895

Via Panisperna 251
℡ +39 06 489 074 95
www.aitrescalini.org
news-subscribe@aitrescalini.org
Ouvert du lundi au vendredi de 12h à 1h et le week-end de 18h à 1h.
On croit venir ici pour un seul verre et on finit par faire la fermeture de ce bar à vins, qui a la bonne idée de vous nourrir en même temps qu'il vous abreuve. Les rencontres sont presques incluses dans le prix, car ici, c'est aux vrais Romains que l'on se frotte.

■ LA BARRIQUE

Via Del Boschetto 5
℡ +39 06 4782 5953
Ouvert tous les soirs de 18h à 2h du matin. Monti, encore et toujours, ne cesse de nous séduire par ses petits bars traditionnels qui attirent pourtant une clientèle plutôt à la pointe. Entre les caisses de vins, on sirote une production du Latium, en *aperitivo* très prolongé.

■ CHARITY CAFÉ JAZZ CLUB

Via Panisperna, 68
℡ +39 06 478 258 81
www.charitycafe.it
charitycafe@libero.it
Ouvert tous les jours de 15h à 1h.
Besoin de se détendre après une longue journée de visite ? Essayez donc ce café dédié au jazz qui propose des concerts à partir de 22h ou plus tôt, pendant l'apéro le dimanche. Une ambiance chaleureuse, une centaine d'étiquettes de vins et une bonne sélection de cocktails à accompagner comme il se doit de charcuterie et fromage.

■ FAFIUCHÉ

Via Madonna dei Monti, 28
℡ +39 06 699 0968
Ouvert du lundi au samedi dès 18h.
On n'a pas réussi à déterminer ce que voulait dire Fafiuché, mais une chose est sûre, ce bar à la mode cultive une ambiance venue du Piémont, de la Toscane et des Pouilles, notamment grâce à ses vins. De quoi prendre un grand bol d'air de toute l'Italie, en une gorgée.

Un opéra sous les étoiles

Les amateurs d'art lyrique (et même les autres) qui se rendent à Rome en plein été auront la chance de vivre une soirée inoubliable, comme seule la Cité éternelle peut en offrir. En effet, depuis 1937, l'Opéra de Rome se délocalise sur le site antique des thermes de Caracalla pour des représentations en plein air des plus grands chefs-d'œuvre du répertoire classique. Un événement cher au cœur des Romains. Quand *Carmen* ou *La Tosca* entonnent leurs plus grands airs devant les ruines éclairées, on touche à la perfection. On se souvient notamment du sublime spectacle, intitulé *Les Trois Ténors*, joué en 1990, où José Carreras, Luciano Pavarotti et Placido Domingo ont rivalisé de voix pendant plusieurs heures au cœur des thermes.

Piazza di Spagna
et villa Borghese

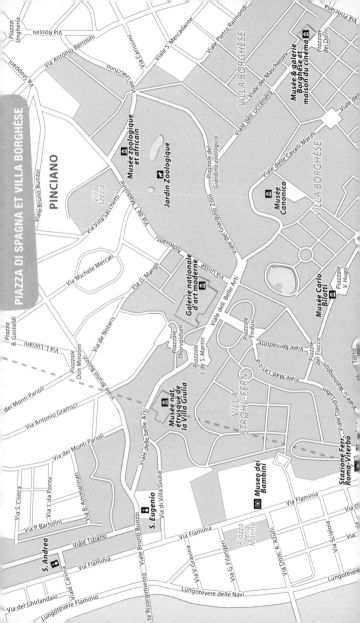

PINCIANO

VILLA BORGHÈSE

VILLA STROHL-FERN

Villa Sezzia

Musée zoologique et africain

Jardin Zoologique

Galerie nationale d'art moderne

Musée & galerie Borghèse et maison du cinéma

Musée Canonica

Musée Carlo Bilotti

Musée nat. étrusque de la Villa Giulia

Museo dei Bambini

S. Eugenio

S. Andrea

Stazione Ferr. Roma-Viterbo

Piazza Ungheria

Piazza B. Gastaldi

Piazza B. Luciani

Piazzale Don Minzoni

Piazzale dei Daini

Piazzale del Giardino Zoologico

Piazzale Thorvaldsen

Piazzale J. de S. Martin

Piazzale Firdusi

Piazzale del Fiocco

Piazzale V. Hugo

Piazzale Bernadotte

Piazza della Marina

Via Rossini

Via Antonio Bertolini

Via Carissimi

Viale S. Mercadante

Via Pietro Raimondi

Viale Pietro Raimondi

Viale dei Mascheroni

Viale dell'Uccelliera

Via Pinciana

Via Giacchino

Via Bruno Buozzi

Via De Magnolie

Via Villa Sacchetti

Viale delle Magnolie

Viale dei Cavalli Marini

Via Aldrovandi

Viale del Giardino Zool.

Via Michele Mercati

Via G. Mangili

Via de Notaris

Viale delle Belle Arti

Via Ulisse Aldrovandi

Viale dell'Ulisse

Viale di S. Martin

Viale Mad. Letizia

Viale David Lubin

Viale Mad. Letizia

Viale George Washington

dei Monti Parioli

Via Antonio Gramsci

Via dei Monti Parioli

Viale Bruno Buozzi

Viale delle Belle Arti

Via di Villa Giulia

Via Bruno Buozzi

Via Flaminia

Via V. Gravina

Via G. Filangeri

Via Dom. A. Azuni

Via Scalola

Via S. Conca

Via T. da Ponte

Via P. Bartolini

Via B. Ammannati

Viale Tiziano

Via Canina

Via Flaminia

Via del Ghirlandaio

Lungotevere Flaminio

Lungotevere delle Navi

Via Scroppani

© AUTHOR'S IMAGE – PHILIPPE GUERSAN

Piazza di Spagna et villa Borghèse

La zone s'étend au nord du quartier historique, après la fontaine de Trevi et le Quirinal. Elle forme un rectangle bordé à l'ouest par le Tibre et englobant tout le périmètre de la villa Borghèse. Elle comprend le quartier très vivant qui s'étend entre la piazza di Spagna et la piazza del Popolo (et un peu au nord vers le quartier de Flaminio) et forme un contraste saisissant avec le calme des jardins de la villa. C'est en quelque sorte une ville idéale où l'on peut dans la même journée faire du vélo au vert, visiter l'un des plus beaux musées au monde, lécher les vitrines des plus grandes enseignes de mode, dîner dans une *trattoria* typique. Les bonnes adresses n'y manquent pas.

▶ **Au nord, la piazza del Popolo** (Place du Peuple) a été conçue sous les Médicis comme la porte d'entrée monumentale de la ville. Le pèlerin suivait la via Ripetta pour traverser le Tibre et se rendre au Vatican,

le commerçant prenait la via del Corso pour aller faire son négoce dans le centre tandis que les nobles empruntaient la via del Babuino pour rejoindre la Place d'Espagne. Ces trois rues partant de la place dans des directions différentes sont communément appelées le Tridente, zone dans laquelle les ruelles abritent de nombreux cafés, restaurants, boutiques, magasins d'antiquaires et galeries d'art contemporain. De part et d'autre du Corso, deux églises apparemment identiques font fonction de portes. En réalité, leurs coupoles sont différentes, l'une octogonale, l'autre dodécagonale. Au centre de la place, l'obélisque Flaminio, venu d'Egypte au temps d'Auguste pour orner le Grand Cirque, fut érigé là, sous Sixte V (1589). Fermée par deux hémicycles, la place est désormais une zone piétonne, lieu d'événements publics (concerts en été) et de promenade.

▶ **Au sud de la piazza del Popolo,** la piazza di Spagna est l'un des lieux les plus animés de Rome. Touristes et Romains s'y côtoient puisque sa station de métro dessert aussi bien le parc de la villa Borghèse que le quartier des boutiques les plus chics de la capitale. Donnant sur la place d'Espagne, la via Condotti avec ses enseignes de luxe est l'une des plus connues de Rome. Ne pas manquer de se promener dans la très arty via Margutta et de visiter l'Ara Pacis près du Tibre.

▶ **À l'est de la via del Babuino** se trouve la célèbre villa Borghèse. Lieu de détente et de promenade, véritable poumon de la ville, c'est aussi un espace de grande importance culturelle qui abrite des musées majeurs : la galerie Borghèse, le musée Canonica, le Musée national étrusque, la Galerie nationale d'art moderne... Il occupe la hauteur du Pincio et s'étend jusqu'au balcon du même nom qui domine la piazza del Popolo. Il englobe les jardins de la villa Giulia au nord du Pincio. Ce parc faisait partie du vaste ensemble que constituaient les grands domaines d'agrément des nobles Romains, domaines qui pour la plupart n'ont pas résisté à l'explosion immobilière d'après 1870. Le parc est agrémenté de nombreuses statues, copies d'antiques pour la plupart, et d'innombrables petits édifices, comme ces temples dédiés à Adonis, à Faustina, à Diane ou encore la fontaine aux Hippocampes.

▶ **Au sud de la villa Borghèse,** la via Vittorio Veneto part de la piazza Barberini puis monte, en faisant un large coude, jusqu'aux remparts d'Aurélien qui s'ouvrent par la porta Pinciana et le parc de la villa Borghèse. Ce sont les Champs-Elysées de Rome, en plus étroits et plus courts. Tout le quartier est élégant et aéré. Sur ce symbole de la *dolce vita* des années 1960, on trouve d'agréables terrasses de café à la française, des hôtels de luxe et certains cafés historiques.

▶ **Accès :** M° Spagna ou Flaminio. Nombreux bus également (117, 119...).

© AUTHOR'S IMAGE – PHILIPPE GUERSAN

Dessinateur de rue à Trinità dei Monti (Trinité-des-Monts).

VISITER

■ ARA PACIS

Lungotevere in Augusta
A l'angle de la via Tomacelli
☎ +39 06 06 08
www.arapacis.it
info.arapacis@comune.roma.it
M° Spagna.

Ouvert du mardi au dimanche de 9h à 19h. Fermé le lundi. Entrée 9 € (tarif réduit 7 €).

Cet autel de la paix construit en 13 av. J.-C. en l'honneur de l'empereur Auguste célèbre la suprématie de Rome sur le monde civil. La construction se présente comme un grand rectangle de 11 m par 10 m décoré de bas-reliefs où l'on reconnaît l'histoire des jumeaux et de la louve, Enée sacrifiant les Pénates, une personnification de la Terre parmi l'Eau et l'Air, ainsi que des personnages de la famille impériale : Agrippa, Caïus César (fils de l'empereur), Livie (sa femme). A l'origine situé près de la piazza San Lorenzo in Lucina, il formait avec le mausolée d'Auguste et l'obélisque situé aujourd'hui devant le Parlement italien un ensemble unique. Cette construction grandiose était pourvue d'une horloge solaire, laquelle, le 23 septembre, jour de l'anniversaire de l'empereur, projetait son ombre dans le mausolée. Au XVIe siècle, des fouilles permirent d'en retrouver les traces, perdues depuis des siècles. En 1937, on créa l'emplacement actuel sur les rives du Tibre. La reconstitution de ce chef-d'œuvre du « siècle d'or » a été possible après la récupération des marbres originaux exposés à Florence, au Louvre et aux musées du Vatican. Il est aujourd'hui abrité par un bâtiment moderne construit par l'architecte Richard Meier.

■ ÉGLISE DE LA TRINITÉ-DES-MONTS

Piazza Trinità dei Monti
Ouvert du mardi au vendredi de 7h à 18h30, samedi et dimanche de 8h à 18h30.

Le viale Trinità dei Monti conduit à la place de La Trinité-des-Monts, ornée d'un obélisque provenant des jardins de Salluste qui se trouvaient sur le Pincio. Avant de descendre le célèbre escalier, Scalinata della Trinità dei Monti, entrez dans l'église, que nous appelons ici de son nom français, car ce fut dès l'origine une fondation française, voulue par Charles VIII et commencée sous Louis XII en 1502.

© ALFREDO VENTURI – ICONOTEC

Crèche de Noël dans l'église de la Trinità dei Monti (Trinité-des-Monts).

Piazza del Popolo, l'obélisque Flaminio.

La façade, réalisée par Maderno, est surmontée de deux clochers singuliers que l'on doit, semble-t-il, à Giacomo Della Porta. A l'intérieur, l'intérêt principal réside dans la *Déposition de la Croix*, fresque de Daniele Da Volterra, d'après un dessin de Michel-Ange (deuxième chapelle de gauche).

▶ **Les escaliers :** lorsque l'église est construite, seule des ruelles escarpées permettent de la rejoindre depuis la place. On décida donc de faire construire un grand escalier arpentant la colline. C'est ainsi qu'en 1660, grâce aux dons du diplomate français Stephan Gueffier, le projet fut confié à Francesco De Sanctis. La construction de la Scalinata dura seulement trois ans, mais l'œuvre est impressionnante : les 138 marches permettent d'avoir sur la place et les rues environnantes une vue exceptionnelle. Le fait qu'il ne soit pas construit dans l'axe de la place ou de la via Condotti favorise la perspective libre et permet d'avoir une vue changeant en fonction de l'endroit où l'on se trouve.

■ **ÉGLISE SANTA MARIA DEL POPOLO**
Piazza del Popolo 12
℅ +39 06 361 0836
www.santamariadelpopolo.it
Ouvert tous les jours de 7h à 12h et de 16h à 19h.

Cette église, presque cachée au fond de la place et appuyée sur la colline du Pincio, fut commencée à la fin du XIe siècle grâce à la contribution financière du peuple romain. Achevée en 1477, sous le règne de Sixte IV Della Rovere, de nombreux artistes y travaillèrent. On retrouve à l'intérieur l'ordonnance Renaissance à trois nefs, troublée par les statues en stuc que Bernin y ajouta près de deux siècles plus tard. Dans la nef de droite, la première chapelle présente une *Nativité* du Pinturicchio. Dans le transept de droite, le chœur est un projet de Bernin, et sur les murs, le long de l'autel majeur, se trouvent des sculptures d'Andrea Sansovino. Les fresques de la voûte sont de Pinturicchio. La chapelle Cerasi, dans le transept de gauche, est un trésor avec son *Assomption* d'Annibal Carrache et, deux tableaux du Caravage, la *Conversion de saint Paul* et la *Crucifixion de saint Pierre*. Par le traitement de la lumière, le réalisme trivial des personnages sacrés, ils constituent une révolution dans l'art religieux. En continuant, la chapelle Chigi mérite aussi une halte. Les mosaïques de la coupole sont de Raphaël. Les tombes latérales, de forme pyramidale, sont aussi un projet de Raphaël, modifié par Bernin.

Galerie nationale d'Art moderne et contemporain.

■ GALERIE NATIONALE D'ART MODERNE ET CONTEMPORAIN

Viale delle Belle Arti, 131
Villa Borghese
℡ +39 06 322 98 221
www.gnam.beniculturali.it
Ouvert du mardi au dimanche de 8h30 à 19h30. Fermé à Noël, le 31 décembre et le 1er mai. Entrée 10 €.
La Galerie nationale d'art moderne siège dans un palais monumental d'inspiration néoclassique et elle est consacrée à la peinture et à la sculpture italienne et européenne des XIXe et XXe siècles. Au rez-de-chaussée sont exposées les collections permanentes ; dans la cour et le corridor, on trouve des expositions temporaires ; le premier étage est dédié à la photographie.

On salue l'approche didactique avec une présentation des œuvres par courants régionaux. Parmi les œuvres à ne pas rater, qui ne sont pas toutes italiennes, *Les Trois Ages* de Gustave Klimt et un buste de femme en bronze d'Auguste Rodin.

■ JARDINS DU PINCIO

Surplombant la piazza del Popolo, les jardins du Pincio permettent d'entrer dans la villa Borghèse. Aménagés sur la petite colline du même nom au temps de l'occupation napoléonienne d'après les plans de Giuseppe Valadier, ils sont couverts de chênes, de pins parasol et de palmiers. Ils offrent surtout depuis le belvédère une très belle vue sur la ville particulièrement appréciée en fin de journée. Mais attention, ça grimpe !

■ MAUSOLÉE D'AUGUSTE
Piazza Augusto Imperatore
Fermé pour restauration.
A la suite de ses victorieuses conquêtes en Egypte, Auguste, maître absolu de Rome, se fait construire en 28 av. J.-C. cette vaste sépulture circulaire calquée sur le modèle des tombes étrusques. Le monument original faisait 85 m de diamètre et était surmonté d'un talus planté de cyprès. Une statue de l'empereur se trouvait au sommet. Les deux obélisques qui encadraient l'entrée du monument ont été déplacés (place du Quirinal et derrière l'église Santa Maria Maggiore). Transformé en forteresse au Moyen Age, ce monument a survécu, bien que fortement dégradé. Son intérêt historique reste tout de même immense.

■ MUSEO DEI BAMBINI
Via Flaminia 82
✆ +39 06 361 3776
www.mdbr.it
fsantini@mdbr.it
Ouvert tous les jours, fermé le lundi. Visites de 1 heure 45 (non guidées) à 10h, 12h, 15h et 17h. Entrée : 7 €.
Comme son nom l'indique, le musée est à visiter avec les enfants. Il est conçu comme une aire de jeux éducatifs initiant avec humour aux lois de la physique, de l'électricité et de l'optique. Ingénieuses et colorées, les installations (ordinateurs, miroirs déformants...) permettront aux bambins de 3 à 12 ans de ressentir leur corps dans sa relation aux autres et à l'espace et de se promener dans une ville reconstituée à leur échelle. Ce lieu, qui n'est pas sans rappeler

la cité parisienne des sciences et de l'industrie, se trouve au nord de la piazza del Popolo.

■ PIAZZA DEL POPOLO
Piazza del Popolo
Porte d'entrée de la ville, imaginée sous les Médicis, la piazza del Popolo relie, par la via del Corso, le centre de Rome. La via Ripetta rejoint le Vatican et la via del Babuino mène à la piazza di Spagna. Ces trois rues débutant de la place sont surnommées le Tridente.

■ PIAZZA DI SPAGNA
Piazza di Spagna
Voir la rubrique Les immanquables – Points d'intérêt – La piazza di Spagna, p. 19.

■ VIA VENETO
C'est l'une des rues mythiques de Rome, emblématique de la dolce vita des années 1960. On la surnomme parfois exagérément les Champs-Elysées de Rome, la rue est en fait bien plus étroite et plus courte, et aussi beaucoup plus calme malgré la présence des hôtels de luxe, des cafés d'époque et de quelques boutiques. La via Vittorio Veneto (du nom d'une victoire des Italiens sur les Autrichiens en 1918) fut tracée au centre d'un nouveau quartier créé dans le parc du domaine des Ludovisi. Il ne reste de cette propriété que le Casino Ludovisi (visites le dimanche matin), qui fut décoré par le Guerchin. La via Veneto part de la piazza Barberini puis monte, en faisant un large coude, jusqu'aux remparts d'Aurélien qui s'ouvrent par la porta Pinciana sur le parc de la villa Borghèse.

La villa Borghèse et ses musées

La villa Borghèse est un lieu magique où les Romains se réfugient l'été pour trouver un peu de fraîcheur. Vous aimerez y pique-niquer, y louer une barque et glisser devant le petit temple d'Esculape, emmener les enfants au zoo, faire du vélo... et surtout visiter ses magnifiques musées. L'autre nom de la villa n'est-il pas le Parco dei Musei ?

▶ **Les différents sites de la villa** sont reliés par un système de bus : la ligne électrique 116 et les bus 88, 95, 490, 495 et 49. Location de vélo à l'entrée (4 € de l'heure).

■ **GALERIE BORGHÈSE**
Piazzale del Museo Borghese
5 villa Borghese, Villa Borghese
℃ +39 06 328 10 – www.galleriaborghese.it
Ouvert du mardi au dimanche de 9h à 19h (dernière entrée à 16h30) avec système de rotation toutes les deux heures pour un maximum de 360 visiteurs. Réservation obligatoire. Pour réserver : www.ticketeria.it – ℃ +39 06 32 810. Fermé le lundi. Les billets réservés doivent être retirés 30 minutes avant la visite. Entrée : 8 € + 2 € frais de réservation.

■ **JARDINS SECRETS**
Viale dell'Uccelleria de Villa Borghèse, Villa Borghese
Accès autorisé uniquement avec visite guidée gratuite. Réservation au Giardini Segreti, entrée du Giardino dell'Uccelleria, Viale dei Mascheroni. Ouvert de 10h à 16h du 1er octobre au 31 mars et de 10h à 18h du 1er avril au 30 septembre.
Pénétrez les merveilleux jardins secrets de la villa Borghèse : le Giardino Vecchio, le Giardino dell'Uccelleria, le Giardino della Meridiana et le Giardino della Coltivazione. Créés au XVIIe siècle, ces jardins étaient utilisés comme potagers durant la Seconde Guerre mondiale, ce qui a par la suite provoqué leur destruction. Ce n'est que récemment que les jardins ont retrouvé leur aspect d'origine, tant au niveau de la forme des parterres que du choix des fleurs.

■ **JARDIN ZOOLOGIQUE OU BIOPARCO**
Viale del Giardino Zoologico 1, Villa Borghese
℃ +39 06 360 8211www.bioparco.it
Ouvert tous les jours de 9h30 à 18h en été et de 9h30 à 17h en hiver, les samedi, dimanche et jours fériés de 9h à 19h. Entrée : 12,50 €, enfant 10,50 €.
Un lieu à ne vraiment pas manquer si vous êtes à Rome avec vos enfants. Inauguré en 1911, le jardin zoologique situé au nord de la villa Borghèse a longtemps été considéré comme l'un des plus beaux beaux zoos d'Europe. Les constructions présentes sont d'une rare beauté et d'un grand intérêt historique. A voir absolument, la volière, réalisée en 1935 par l'architecte De Vico. Dans

ce Bioparco vivent par ailleurs 200 espèces animales (mammifères, oiseaux, reptiles) au milieu de plantes des zones méditerranéennes et exotiques. A l'entrée, jetez un œil sur le portail avec ses statues en forme de lion et d'éléphant.

◾ MUSÉE CANONICA

Viale P. Canonica 2, Villa Borghese
✆ +39 06 06 08 – www.museocanonica.it
Ouvert tous les jours de 9h à 19h sauf le lundi. Les jours de fêtes de 9h à 13h30. Entrée 5,50 €.
Ce bâtiment du XVIIᵉ siècle fut transformé au XVIIIᵉ siècle en petit château d'inspiration médiévale. En 1927, le sculpteur piémontais Pietro Canonica (1869-1959) en fit sa maison et son atelier. Y est exposée une collection de ses sculptures, peintures et esquisses.

◾ MUSÉE NATIONAL ÉTRUSQUE DE LA VILLA GIULIA

Piazzale di Villa Giulia 9
✆ +39 06 322 6571 – www.beniculturali.it
Ouvert du mardi au dimanche de 8h30 à 19h30. Fermé le lundi. Entrée 8 €.
Une merveille pour les amoureux des civilisations anciennes ! Cette très belle villa du XVIᵉ siècle présente une collection d'archéologie étrusque et falisque provenant de fouilles effectuées dans la région du Latium. Les 33 salles abritent le plus riche patrimoine d'Italie sur la civilisation étrusque. On y admirera des objets de la vie quotidienne (amphores, assiettes, vases à parfum), mais aussi des bijoux et des statuettes en bronze ou en terre cuite.

◾ VILLA MÉDICIS

1 Viale Trinità dei Monti, Villa Borghese ✆ +39 667 611
www.villamedici.it – direttore@villamedici.it
Visites guidées en français tous les jours à 10h30, 11h45, 15h et 16h15. Expositions de 11h à 19h (lundi fermé). Tarifs : 8 €. Exposition + visite des jardins : 11 €.
La villa Médicis est, comme on le sait, le siège de l'Académie de France à Rome. Occupant les anciens jardins du poète Lucullus, la première construction de style Renaissance fut érigée en 1570 à l'initiative d'un cardinal italien, avant de passer entre les mains des Médicis. L'Académie de France à Rome fut fondée par Louis XIV, mais c'est Napoléon qui l'installa dans la villa Médicis en 1803. C'est là que résidaient les fameux Prix de Rome. Ce titre a disparu de nos jours, mais des artistes de toutes disciplines sont toujours accueillis comme pensionnaires à la Villa. Ils y restent un an, deux ans ou six mois pour parfaire leur formation. Le poste de directeur de la villa Médicis est très convoité. En juin 2008, le journaliste et écrivain Frédéric Mitterrand avait été nommé directeur de la villa Médicis par Nicolas Sarkozy, avant de laisser le poste vacant un an plus tard pour prendre ses fonctions de ministre de la Culture. C'est aujourd'hui Eric de Chassey, docteur en histoire de l'art, qui la dirige.

SE RESTAURER

C'est dans cette partie de la ville que vous trouverez la plus forte concentration de restaurants design, tendance nouvelle cuisine, qui attirent les Romains les plus branchés. Mais heureusement ceux-là n'ont pas encore fait disparaître les petites trattorias traditionnelles. En fait, vous n'aurez que l'embarras du choix pour manger de ce côté de la ville où on trouve peut-être moins d'attrape-touristes que dans le centre.

» Sur le pouce

■ FIOR FIORE
Via della Croce 17-18
✆ +39 06 679 1386
Ouvert tous les jours de 7h à 22h.
La tradition romaine veut que l'on mange sa pizza *al taglio*, à la découpe. Une opportunité de goûter à plusieurs pizzas en même temps ! Cette boulangerie en propose une trentaine, toutes plus alléchantes les unes que les autres. On emporte une ou deux parts à aller déguster sur les marches de la piazza di Spagna.

■ LA PECORA PAZZA
Via della Mercede, 18
✆ +39 06 6920 0252
Ouvert tous les jours sauf le dimanche.
Une des pizzerias romaines qui remporte le plus de suffrages auprès des locaux. A tester sans plus attendre !

» Pause gourmande

■ CAFFÈ CIAMPINI
Piazza San Lorenzo in Lucina 28
✆ +39 06 687 6606
www.ciampini.net
Ouvert du lundi au samedi de 7h à 23h. Fermé le dimanche.
Une coupe de glace à savourer en terrasse, sur une des belles places de Rome, voilà ce qu'offre le Caffè Ciampini. De quoi apprécier la *dolce vita* dans les règles de l'art.

■ ROSATI
Piazza del Popolo 5a
✆ +39 06 322 5859
www.rosatibar.it
Ouvert tous les jours de 7h30 à 23h30.
Ce bar, glacier, pâtissier, et depuis peu restaurant, existe depuis les années

1920. C'était un lieu populaire pour les stars de la télévision italienne dans les années 1960 et 1970. Aujourd'hui, les hommes d'affaires aiment y déjeuner, relayés le soir par la jeunesse dorée qui vient en Porsche ou en Maserati s'offrir une douceur tardive. Passez y boire un café gourmand ou une glace pour observer ce joli petit monde.

» Bien et pas cher

■ LA CANTINOLA
Via Calabria, 16-18
✆ +39 06 428 205 19
www.lacantinola.com
grafica.mrm@gmail.com
M° Castro Pretorio.
Ouvert du lundi au samedi de 12h30 à 14h30 et de 19h à 23h. Fermé le dimanche. Compter 20 € par repas.
Spécialisée dans les poissons et les fruits de mer, cette « cantine » sarde sert des plats bien préparés (bons *scampi*) dans une ambiance plus intime et plus douillette que celle des réfectoires !

■ I MAMUTONES
Piazza Monte Gennaro 29
Sur le Monte Sacro
✆ +39 06 818 5237
www.mamutones.it
Ouvert de 12h30 à 14h30 et de 19h à 23h. Fermé le lundi. Repas autour de 25 €. Au nord-est de la villa Ada.
Un restaurant à la forte personnalité, dans la salle comme dans l'assiette. Normal, les patrons sont sardes. Ici, on blague et on parle fort, tout participe d'une ambiance chaleureuse et pittoresque. En plus, la cuisine

La pause artistique

■ CAFFÈ MUSEO C ANOVA TADOLINI
Via del Babuino, 150 A/B
✆ +39 06 321 107 02
www.canovatadolini.com
Ouvert tous les jours de 8h à minuit. Compter 11 à 28 € par plat.
L'ancien atelier du sculpteur Antonia Canova est aujourd'hui devenu un charmant salon de thé, au décor Belle Epoque. On y vient pour boire un capuccino au milieu des statues et des esquisses de Canova. Chic et désuet.

sarde, accompagnée d'excellents vins régionaux, vaut vraiment le détour. Menu de poisson le vendredi.

» Bonnes tables

■ AD HOC
Via ripetta, 43
✆ +39 06 323 3040
www.ristoranteadhoc.com
Ouvert tous les soirs de 19h à minuit. Compter 30 à 50 € par repas.
On ne tarit pas d'éloges sur cet excellent restaurant, qui propose un menu romain de grande qualité. Les portions sont généreuses, les ingrédients savamment choisis et le service particulièrement attentionné. Réservation fortement recommandée.

PIAZZA DI SPAGNA ET VILLA BORGHÈSE

Le slow food, un concept né piazza di Spagna

De nombreux restaurants haut de gamme affichent un peu partout dans le monde le label « slow food ». Mais saviez-vous que ce mouvement qui défend les valeurs de la cuisine traditionnelle face aux géants de la malbouffe est né à Rome ? En effet, c'est pour protester contre l'installation d'une célèbre chaîne de fast-food sur la piazza di Spagna qu'est né le concept. Les restaurateurs se réclamant du *slow food* cherchent à promouvoir les produits du terroir et l'art de déguster sain en soutenant une agriculture plus respectueuse de l'environnement. Si les prix dans ces établissements sont un peu plus élevés, le label est un gage de la qualité et de la fraîcheur des produits.

■ AL VANTAGGIO

Via del Vantaggio, 35
℃ +39 06 323 6848
www.alvantaggio.it
M° Flaminio.

Ouvert tous les jours de 12h à 15h et de 19h à 23h. Compter environ 8 à 18 € par plat, 30 € pour un repas.
Non loin de la piazza del Popolo, ce restaurant, dont la terrasse s'étend tranquillement dans une rue perpendiculaire à la via del Corso, sert une cuisine typique, reconnue par la région du Lazio. En entrée, on essaiera les beignets de fleur de courgette, avant de goûter les calamars aux artichauts ou les *fettucine* au jus d'agneau.

■ GUSTO

Piazza Augusto Imperatore, 9
℃ +39 06 322 6273
www.gusto.it
M° Spagna.

Ouvert tous les jours de 12h45 à 15h et de 19h45 à minuit.
Incontournable de la « coolitude » romaine, l'enseigne a un peu envahi le quartier avec trois adresses autour de la place Augusto Imperatore. Restaurant, pizzeria, bar à vins et à fromages, Gusto est tout cela à la fois. Notre préférence va à l'*osteria* (via della Frezza) pour son ambiance détendue et stylée, avec ses tables années 1930, ses divans moelleux et sa musique lounge. Le brunch servi le week-end connaît un vif succès :

potages, fromages, charcuterie, légumes grillés ainsi qu'un nombre incalculable de desserts exposés sur un grand buffet en marbre. C'est là qu'il faut être vu.

■ IL GABRIELLO

Via Vittoria, 51
✆ +39 06 6994 0810
www.ilgabriello.it
Compter 25 à 40 € par repas.
On parle français dans cet excellent restaurant, qui n'a pourtant rien de touristique. Les fruits de mer et le poisson du jour sont mis à l'honneur sur la carte résolument tournée vers la mer. Le cadre est agréable, on dîne sous des voûtes pierreuses joliment éclairées.

■ LO STIL NOVO

Via Sicilia 66/B
✆ +39 06 4341 1810
www.ristorantelostilnovo.it
Ouvert du mardi au vendredi de 12h30 à 14h30, du lundi au samedi de 19h30 à 23h. Compter 25 à 50 € par repas.

Paninis à la mode italienne.

© AUTHOR'S IMAGE - PHILIPPE GUERSAN

Avec son atmosphère intime et chaleureuse, ce restaurant, situé dans une cave voûtée, cultive une certaine classe. La carte reprend les codes traditionnels italiens mais mise sur les épices et assaisonnements pour l'originalité. Ne manquez pas les salades, dont les vinaigrettes sont époustouflantes.

›› Luxe

■ IMÀGO

Au 6ᵉ étage de l'Hôtel Hassler
Piazza della Trinità dei Monti, 6
✆ +39 06 699 347 26
www.imagorestaurant.com
imago@hotelhassler.it
M° Spagna.
Ouvert tous les soirs de 19h30 à 22h30. Réservation recommandée. Compter minimum 200 € par personne.
On tombe vite à court de superlatifs pour qualifier ce restaurant situé au 6ᵉ étage de l'hôtel Hassler. La vue panoramique tout d'abord est la plus enchanteresse qui soit puisque l'on surplombe toute la Cité éternelle par de larges baies vitrées. Le cadre ensuite est un exemple de raffinement et d'élégance. La cuisine enfin, qui s'adapte aux saisons, est une subtile alliance de gastronomie italienne et française saupoudrée de saveurs exotiques pour laquelle le jeune chef Francesco Apreda vient d'être récompensé d'une première étoile au Guide Michelin. Ses raviolis au faisan, choux-fleur et miel à la truffe sont très appréciés de Berlusconi *himself*. Un restaurant d'exception pour une soirée très romantique.

PIAZZA DI SPAGNA ET VILLA BORGHÈSE

■ LA TERRASSE CUISINE & LOUNGE

Via Lombardia, 47
℡ +39 06 478 022 999
www.laterrasseroma.com
H1312-FB@accor.com
M° Spagna

Restaurant : ouvert tous les jours de midi et demie à 15h00 et de 19h30 à 22h30. Lounge bar : ouvert tous les jours de 10h30 à minuit.

Rendez-vous sur le toit du Sofitel pour découvrir La Terrasse Cuisine & Lounge : déjeunez, dînez ou sirotez un cocktail au coucher du soleil en profitant du panorama sans pareil qui s'offre à vous… Le chef Giuseppe d'Alessio vous propose une cuisine méditerranéenne élaborée à partir de produits de qualité et de saison : en véritable adepte de la philosophie du « kilomètre 0 », il saura mettre vos papilles en ébullition en sélectionnant les meilleurs produits locaux.

Alfredo : les fettuccine d'Hollywood (épisode 2)

■ IL VERO ALFREDO

Piazza Augusto Imperatore, 30
℡ +39 06 687 8734 – www.alfredo-roma.it
Ouvert de 12h30 à 15h30 et de 19h30 à 23h, fermé le dimanche et le lundi midi. Comptez 30 € par repas.
Retour sur l'histoire des *fettucine* d'Alfredo, prisées des stars hollywoodiennes et originellement cuisinées via della Scrofa. Vous êtes ici dans le second restaurant d'Alfredo, celui qu'il a dirigé ensuite, après avoir séduit Douglas Fairbanks et Mary Pickford. Les *fettucine*, les vraies, seraient donc à manger ici. A vous de juger.

SHOPPING

Temple du shopping romain, le quartier est aussi le paradis des fashionistas. Mais si vous décidez de vous lancer sur leurs traces, mieux vaut prévoir un sacré budget, car ici pas d'enseignes populaires ! La plupart des boutiques se situent dans les rues du Trident entre la piazza di Spagna et la piazza del Popolo. Les enseignes moins chics se trouvent sur la via del Corso, tandis que les grands noms de la haute couture internationale, ceux de l'avenue Montaigne ou de la 5th Avenue, sont sur la célèbre via Condotti. Des boutiques d'antiquaires sont regroupées le long de la via del Babuino. On trouve aussi dans le quartier pas mal de *concept stores* dédiés à la déco. Même si vos moyens ne vous permettent pas de folies, mêlez-vous à la foule du quartier, entre touristes en short et belles Italiennes griffées de la tête aux pieds.

■ BULGARI

Via dei Condotti, 10
℡ +39 06 696 261 – www.bulgari.it
info@bulgarihotels.com
Ouvert du lundi au samedi de 10h à 19h, le dimanche de 11h à 19h.
Bulgari s'installa en premier via dei Condotti et a ébloui immédiatement les Romains de ses diamants et perles. Sublimement italien.

■ C.U.C.I.N.A.

Via Mario dei Fiori, 65
℡ +39 06 679 1275
www.cucinastore.com
Ouvert du mardi au vendredi de 10h à 19h30, le samedi à partir de 10h30 et le lundi de 15h30.

Tout, tout, tout, vous trouverez tout pour cuisiner. Vaisselle, nappes et tabliers, ustensiles pour préparer les pâtes fraîches, cafetière italienne et tout un tas d'accessoires certainement plus décoratifs qu'utiles.

■ DISCOUNT DELL'ALTA MODA

Via di Gesù e Maria 16/a
℡ +39 06 361 3796
Ouvert du mardi au dimanche de 10h à 19h. Le lundi de 15h à 19h.
L'un des très bons plans de nos amis romains ! Armani, Versace, Krizia, Ferré... tous les grands noms de la mode italienne y sont. Les pièces sont vendues jusqu'à la moitié du prix d'origine. Les rabais peuvent même atteindre 90 % lors des braderies exceptionnelles (deux fois par an seulement). On frôle alors l'émeute ! Une autre adresse près de Termini.

■ ENOTECA BUCCONE

Via di Ripetta 19-20
℡ +39 06 361 2154
www.enotecabuccone.com
Ouvert du lundi au jeudi de 9h à 20h30 et jusqu'à 23h30 les vendredi et samedi.
Si vous voulez ramener une bonne bouteille, achetez-la dans cette superbe cave à l'ancienne qui existe depuis 1969. Les patrons sont de fins connaisseurs et sauront vous guider dans le choix d'un excellent cru. Vous trouverez également toutes sortes de liqueurs, d'huiles d'olive, de vinaigres, sauces, pâtes, biscuits, chocolats... Vous pourrez bien sûr déguster un verre de vin accompagné de délicieuses assiettes de charcuterie, fromage et légumes grillés ou même faire un repas complet car la cuisine est excellente.

PIAZZA DI SPAGNA ET VILLA BORGHÈSE

117

Les bonnes adresses de Lavinia Biagiotti

Elle est la fille de la plus grande créatrice de mode italienne, Laura Biagiotti, et la petite fille de Delia Biagiotti qui fonda la maison familiale dans les années 1960, commençant par dessiner les uniformes de la compagnie aérienne nationale Alitalia. Lavinia a donc baigné dans l'univers de la mode depuis son plus jeune âge, suivant sa mère dans les coulisses des podiums des grandes capitales du monde. Elle envisage pourtant des études de médecine, mais, à la mort de son père, alors qu'elle a 17 ans, elle décide finalement de rejoindre l'entreprise familiale. Elle partage aujourd'hui son temps entre le château familial de Guidonia, dans la province du Latium, sa villa dans le centre de Rome, et les plus grandes villes du monde où elle tient le rôle d'ambassadrice de la marque Laura Biagiotti. Vice-présidente en charge du marketing de la firme, elle est aussi la créatrice de la ligne Biagiotti Dolls, une collection destinée aux enfants, et a lancé il y a quelques années son propre parfum, baptisé Rome, tout simplement. Romaine de naissance et de tempérament, elle incarne la trentenaire chic et dynamique, la femme d'affaires artiste et branchée qui a su garder une grande simplicité. Amoureuse de sa ville, elle nous a livré ses bonnes adresses :

▸ **Naboo, pour son design new-yorkais,** ses pâtes, ses pizzas et ses délicieux desserts.

▸ **La Soffita Renovation,** pour ses fantastiques pizzas à la mode napolitaine.

▸ **La boutique Laura Biagiotti**, bien sûr !

▸ **Stuart Weitzman,** pour ses super chaussures *made in* USA.

▸ **La galerie Alberto Sordi,** pour ses librairies, ses cafés et ses boutiques de fringues dans un cadre délicieusement rétro.

■ **GALLERIA ALBERTO SORDI**
Piazza Colonna ✆ +39 06 691 907 69

🏅 **LA SOFFITTA RENOVATIO**
Piazza Risorgimento, 46a, aux alentours du Vatican
✆ +39 06 688 929 77

■ **LAURA BIAGIOTTI**
Via Mario de' Fiori, 26 ✆ +39 06 679 1205

■ **NABOO**
Via Pietro Cossa, 51/b
Aux alentours du Vatican
✆ +39 06 360 036 16

■ **STUART WEITZMAN**
Via Condotti, 27 ✆ +39 06 454 205 10

© AUTHOR'S IMAGE · PHILIPPE GUERSAN

■ **FENDI**
Largo Goldoni
(près de la Via del Corso)
✆ +39 06 334 501
www.fendi.com
Ouvert tous les jours de 10h30 à 21h.
Si vous vous demandez ce qu'implique l'adjectif *fendissimo*, rendez-vous dans l'une des multiples boutiques Fendi de la via Borgogna. Pour une fourrure, un parfum ou de la lingerie chic. L'adresse principale loge dans un palais du XVIIIe siècle transformé en un lieu branché.

■ **GALLERIA ALBERTO DI CASTRO**
Piazza di Spagna, 5
✆ +39 06 679 2269
www.dicastro.com
Ouvert du lundi au vendredi de 9h à 13h et de 15h30 à 19h30, le samedi de 9h à 13h. Sur rendez-vous.
La référence pour dénicher de belles antiquités. Meubles, sculptures, mosaïques, camées, marbres, bronzes et tableaux de l'époque médiévale au néoclassique sont présentés sur deux étages dans un magnifique espace avec cour intérieure. Beaucoup d'autres boutiques se trouvent aussi sur la via del Babuino.

■ **GENTE**
Via del Babuino 81 et 185
✆ +39 06 320 7671
www.genteroma.com
Ouvert du mardi au samedi de 10h à 19h30. Le dimanche et lundi de 11h30 à 19h30 (la boutique homme ouvre à 15h30 le lundi).
Plus qu'une boutique, un véritable laboratoire de prêt-à-porter où l'on retrouve le meilleur de la mode italienne. Les initiés (hommes et femmes, chacun a sa boutique) s'y habillent de pied en cap. C'est élégant, inspiré, classique avec juste ce qu'il faut d'originalité. Si vos moyens sont limités, un outlet Gente revend les stocks de l'année précédente à des prix pouvant aller jusqu'à -50 %, dans le quartier du Vatican.

PIAZZA DI SPAGNA ET VILLA BORGHÈSE

119

■ GIANFRANCO FERRÈ

Via Borgognona 42b
☎ +39 06 679 7445
www.gianfrancoferre.com
Ouvert de 10h à 19h. Fermé le
dimanche et le lundi matin.
« L'architecte de la mode » n'est
plus, mais sa marque, fondée après
les années Dior, lui survit avec éclat
grâce au talent des stylistes Aquilano
et Rimondi.

■ GIORGIO SERMONETA

Piazza di Spagna, 61
☎ +39 06 679 1960
www.sermonetagloves.com
Ouvert du lundi au samedi de 9h30 à
20h, dimanche de 10h à 19h.
Le spécialiste des gants à Rome
depuis 1960 a désormais des
boutiques un peu partout dans le
monde. Sa clientèle compte les plus
grandes stars et les politiciens qui
aiment glisser leurs mains dans ses
gants déclinés de toutes les couleurs
et doublés de soie, cachemire ou
fourrure. La fabrication d'une paire
de gants requiert le talent de dix
artisans ! Premiers prix à 30 €.

■ GUCCI

Via Condotti, 6 et 8
☎ +39 06 679 0405
www.gucci.com
Ouvert de 10h à 19h. Fermé le
dimanche et le lundi matin.
Le summum du chic italien connaît
un regain de succès depuis qu'il est
dirigé par un Américain ! Mais la
patte latine est toujours là, avec son
indémodable style des années 1970.
Les mocassins à mors, grands classiques de la marque, sont déclinés
en plus de trente coloris. La boutique

historique, inaugurée en 1938, vient
d'être redessinée par la directrice
artistique Frida Giannini qui a pour
l'occasion signé une collection vendue
exclusivement à Rome.

■ LAURA BIAGIOTTI

Via Mario de' Fiori, 26
☎ +39 06 679 1205
www.laurabiagiotti.it
Ouvert le lundi de 15h30 à 19h30 et
du mardi au samedi de 10h à 19h30.
Dans un cadre très moderne et
lumineux, la styliste romaine expose
les robes créées dans le calme de son
château médiéval, un peu en dehors
de la ville. Deux thèmes récurrents
dans ses collections : le blanc et le
cachemire, avec lesquels elle compose
des robes romantiques et douces.

■ MAX MARA

Via Condotti 17-20
☎ +39 06 6992 2104
www.maxmara.com
Ouvert du lundi au samedi de 10h à
19h30. De 11h à 14h et de 15h à 19h
le dimanche.
Avec pas moins de trois boutiques
(dont une consacrée à sa griffe
« jeune » Max & Co), Max Mara
compte certainement le plus vaste
espace de vente dans le quartier.
Clientèle très classe pour tendance
chic et intemporelle dans des matières
nobles et naturelles.

▶ **Autre adresse :** Via Frattina, 28.

■ SALVATORE FERRAGAMO

Via Condotti, 73-74
☎ +39 06 679 1565
www.ferragamo.com
Ouvert de 10h à 19h. Fermé le lundi
matin.

© AUTHOR'S IMAGE – PHILIPPE GUERSAN

TAD Concept Store.

Le célèbre chausseur florentin travaille sur mesure pour habiller les pieds les plus chics d'Italie. Cette boutique est pour les femmes, les hommes iront au n° 65 de la même rue.

■ STUART WEITZMAN
Via Condotti, 27
✆ +39 06 454 205 10
www.stuartweitzman.com
Ouvert tous les jours de 10h30 à 19h30.
Les chaussures préférées des acteurs oscarisés ou en passe de le devenir. S'ils sont vendus en Italie, les modèles sont imaginés aux Etats-Unis et assemblés en Espagne. Une fabrication internationale pour une réussite totale.

■ TAD CONCEPT STORE
Via del Babuino 155/a
✆ +39 06 968 420 86
www.wetad.it
Ouvert du mardi au samedi de 10h30 à 19h30, dimanche et lundi de 12h à 19h30.
Le Colette romain ! On y trouve tout ce qui se fait de plus pointu en matière de fringues, mais aussi de meubles, d'objets de décoration, de fleurs, de livres... sur trois étages et 1 000 m² d'espace d'exposition. Vous pourrez même vous faire coiffer, boire un café ou déjeuner dans le charmant patio extérieur aménagé par Philippe Starck.

SORTIR

» Cafés - Bars

■ CAFFÈ MUSEO CANOVA TADOLINI
Via del Babuino, 150 A/B
℃ +39 06 321 107 02
Voir la rubrique Piazza di Spagna et villa Borghèse – Se restaurer – Sur le pouce.

■ ENOTECA ANTICA
Via della Croce 76b
℃ +39 06 679 0896
www.anticaenoteca.com
Ouvert tous les jours de 11h à 1h.
Des centaines de vins sont référencés dans cette œnothèque qui existe depuis 1720. On s'attable au long comptoir bois et marbre ou dans la salle de restaurant aux murs couverts d'angelots. Salades et *antipasti* composées de produits du terroir accompagnent avantageusement les blancs et rouges servis au verre ou en bouteille.

■ SALOTTO 42
Piazza di Pietra, 42
℃ +39 06 678 5804
www.salotto42.it
bookbar@salotto42.it
Envie d'une ambiance CSP+ ? Rendez-vous dans ce lieu prisé des jeunes cadres dynamiques romains, qui se pressent sur les sofas moelleux. L'*aperitivo* de 19h à 21h y est très apprécié.

■ STRAVINSKY BAR
Via del Babuino, 9
www.hotelderussie.it
Café 7 €, cocktail 10-12 €.
Envie d'une soirée chic ? Rendez-vous dans le bar de l'Hôtel de Russie. A l'intérieur du bâtiment, on découvre une superbe cour intérieure, agrémentée d'un charmant jardin où se tient le bar.
Bien sûr, le verre est un peu cher, mais il vient avec de petites assiettes de tapas.

Restaurant Enoteca Antica.

La pause mythique

■ **ANTICO CAFFE GRECO**
Via Condotti, 86
✆ +39 06 679 1700
www.anticocaffegreco.eu
Ouvert tous les jours sauf le
dimanche de 8h à 20h30.
Archiconnu et touristique, ce
café du XVIIIe aux tentures
pourpres a accueilli parmi
ses tables en marbre et ses
fauteuils veloutés les grands
de l'époque : Stendhal, Wagner,
Goethe… Le service, classe,
est celui d'une grande maison,
les prix aussi.

offertes vers 3h du matin. Vous l'aurez
compris, pour avoir une infime chance
d'entrer, il faudra soigner votre look
comme jamais.

■ **GILDA**
Via Mario dei Fiori, 97
✆ +39 06 678 4838
www.gildabar.it
Ouvert du jeudi au dimanche de 23h
à 4h. Entrée : 15 €.
Les chroniques mondaines ne tarissent
pas d'éloges sur Gilda, dont le nom
évoque une star pulpeuse des années
30. Le club se veut d'ailleurs rétro
chic, malgré la musique trop souvent
commerciale que passent ses DJs. Un
détail qui n'empêche pas la foule de
se presser aux portes, toute de style
vêtue. L'été, Gilda devient On the Beach
sur la plage de Fregene, mais les tongs
ne sont toujours pas acceptées.

» Clubs et discothèques

■ **ART CAFÉ**
Via del Galoppatoio
(dans la villa Borghèse), 33
✆ +39 06 454 334 87
www.artcaferoma.it
Ouvert du mardi au samedi. Entrée
gratuite mais très sélecte.
Le club à la mode qui fait danser les
fashionistas, un vrai défilé ! Au sein
même de la villa Borghèse, qui imagi-
nerait trois salles bourdonnantes de
R&B-latino, house et revival. Autant
dire que ça se trémousse sévère dans
les carrés VIP ! Les barmen aussi
mettent l'ambiance et, pour recharger
les batteries, pâtes et pizzas sont

Antico Caffé Greco (via Condotti).

PIAZZA DI SPAGNA ET VILLA BORGHÈSE

Détail d'une volière de la villa Borghèse.

■ GREGORY'S JAZZ CLUB

54/a Via Gregoriana
℗ +39 06 679 6386
www.gregorysjazz.com
Ouvert du mardi au dimanche de 19h à 2h. Fermeture estivale.
À vous de choisir votre ambiance : au rez-de-chaussée, un pub irlandais avec une longue carte de whiskies et, à l'étage, un club de jazz cosy qui accueille les meilleurs artistes de la ville. Les jam sessions du mercredi sont à retenir pour une soirée près de la place d'Espagne. Possibilité de dîner.

>> Spectacles

■ MAISON DU CINÉMA À VILLA BORGHÈSE

5 Piazzale Scipione Borghese
℗ +39 06 328 10
www.casadelcinema.it
info.cdc@palaexpo.it

2 500 m² de cinéma, en livres, expositions, conférences de presse, salles de projection et DVD en accès libre. Le temple des cinéphiles et une très bonne occasion pour tous les autres de rentrer dans la villa Borghèse.

■ TEATRO SISTINA

Via Sistina 129
℗ +39 06 420 0711
www.ilsistina.com
Billetterie tous les jours de 10h à 19h. Spectacles du mardi au samedi à 21h, le dimanche à 17h. Places de 20 à 40 €.
Un théâtre dédié à la comédie musicale (de *Carmen* à *Cats*) avec aussi des ballets modernes et parfois des spectacles pour enfants. Les pièces changent tous les mois, programme disponible sur le site Internet.

© STÉPHANE SAVIGNARD

Vatican
et Trastevere

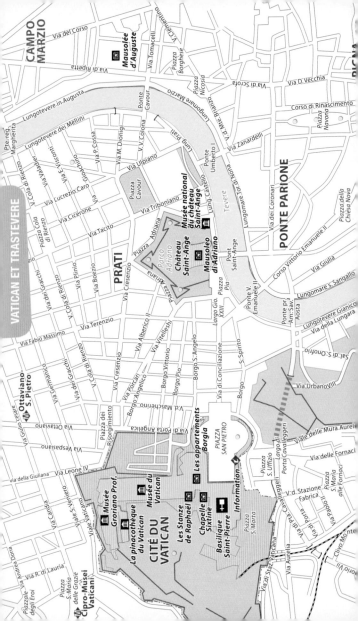

CAMPO
MARZIO

Mausolée
d'Auguste

PRATI

Musée national
du château
Saint-Ange

Château
Saint-Ange

Mausoleo
di Adriano

PONTE PARIONE

Ottaviano-
S. Pietro

Les appartements
Borgia

PIAZZA
SAN PIETRO

Information

Musée
Groriano Prof.

Musée du
Vatican

La pinacothèque
du Vatican

CITÉ DU
VATICAN

Les Stanze
de Raphaël

Chapelle
Sixtine

Basilique
Saint-Pierre

Cipro-Musei
Vaticani

Vatican
et Trastevere

Ce sont les deux quartiers qui à coup sûr vous feront traverser le Tibre. Au nord, le Vatican, Etat pontifical comme chacun sait et, au sud, le Trastevere, dont le nom signifie « par-delà le Tibre ». Entre les deux s'étend la colline du Janicule.

▶ **D'un point de vue géographique,** le Vatican s'étend de la plaine située au nord du Champ-de-Mars jusqu'à la colline du Vatican où se trouve la cité fortifiée du Vatican. Cette colline était utilisée par les augures étrusques pour faire leurs prédictions, les « vaticinations » qui ont vraisemblablement donné leur nom à la colline. Du temps de Néron, l'endroit était occupé par un stade privé que l'empereur avait hérité de son oncle Caligula. Plusieurs nécropoles s'y trouvaient, le long des voies Cornelia et Triomphlis. Néron y aurait fait construire un cirque. C'est là qu'aurait été martyrisé saint Pierre et, après lui, nombre de chrétiens.

L'histoire du Vatican prend un tournant lorsque Constantin, premier empereur chrétien, fait construire là une première basilique qui deviendra Saint-Pierre-de-Rome. En 846, les Sarrasins envahissent Rome. L'année suivante, le pape Léon VI fait entourer le quartier de Saint-Pierre d'une première enceinte fortifiée qui sera régulièrement restaurée et renforcée jusqu'au XVIᵉ siècle.

▶ **La Cité du Vatican,** également appelée le Borgo, constitue la plus grande partie de l'Etat pontifical. Elle comprend donc la basilique Saint-Pierre, les palais du Vatican et les jardins. Hors de l'enceinte, vers l'est, se trouve le château Saint-Ange, relié au Vatican par la via della Conciliazione, et le quartier commerçant de Prati, traversé par la trépidante via Cola di Rienzo. Des boutiques plus ou moins chics et branchées et de très bons restaurants se trouvent dans le coin, tandis qu'en allant vers le nord le quartier se fait plus résidentiel.

▶ **Au sud du Vatican,** la colline Janicule marquait la frontière du pays étrusque. Selon la légende, Janus, l'un des dieux de la fondation de Rome connu pour ses deux visages regardant dans des directions opposées, s'installa sur le Janicule. Il eut plusieurs enfants dont Tiber, qui donna son nom au fleuve de Rome. Le Janicule demeura longtemps en pleine campagne. Ce n'est qu'au XVIIe siècle qu'Urbain VIII fit construire une muraille autour, que Garibaldi ne put franchir lorsqu'il tenta de prendre la ville par le Janicule en 1849. Le Janicule est aujourd'hui, avec la villa Borghèse, le lieu de balade incontournable de la ville, en particulier pour les superbes panoramas qu'offre la colline.

▶ **Derrière le Janicule,** le quartier de Trastevere fait face au centre historique, sur la rive opposée du Tibre. La partie la plus visitée par les touristes avec son lacis de ruelles se trouve du côté du Janicule, mais le quartier se prolonge bien plus bas le long du viale Trastevere, jusqu'au niveau du mont Testaccio et de la station ferroviaire Trastevere. L'origine du quartier est populaire. Durant l'Antiquité, attirés par le développement de la ville, les étrangers venaient y camper, Juifs et Syriens en particulier. L'empereur Auguste incorpora cette banlieue à la ville et Aurélien engloba le Trastevere dans les murs du IIIe siècle, mais les vestiges de bâtiments officiels de la Rome antique et impériale y sont rares (on y vient surtout pour se balader).

Du fait de cet isolement, le quartier a longtemps gardé son côté plébéien. Mais depuis une dizaine d'années, l'authenticité du Trastevere n'est plus un secret. De nombreux étrangers, surtout des Anglais et des Américains, s'y sont installés et les touristes affluent, ce qui a bien sûr porté un sérieux coup au folklore local. Les trattorias familiales sont encore bien présentes, mais certaines se sont un peu transformées en pièges à touristes, tandis que parallèlement s'installent des établissements de plus en plus branchés. Il n'empêche que l'on ne peut qu'aimer ce joyeux mélange de touristes et de Romains qui se retrouvent le soir dans les rues et sur les places dans une ambiance vraiment stimulante.

© ALFREDO VENTURI – ICONOTEC

Le pont Sixte sur le Tibre.

VISITER

Dans le quartier du Vatican, les objets de visite ne manquent pas. La basilique Saint-Pierre et les musées du Vatican, sans parler du château Saint-Ange, pourraient bien vous retenir une journée entière. Dans le Trastevere en revanche, à part la visite d'une ou deux églises et pour les passionnés d'art Renaissance la villa Farnesina, on passe surtout son temps à flâner dans les ruelles pour s'imprégner de l'ambiance. Venez-y en fin de journée quand les lumières sont les plus belles et quand le quartier commence à s'éveiller en prévision des réjouissances nocturnes. Ne manquez pas non plus de monter sur la colline du Janicule pour le coucher de soleil.

Visite du Vatican futé

Pour éviter la longue file d'attente devant les musées du Vatican, vous pouvez réserver vos billets coupe-file via le site Internet du Vatican (4 € de frais de prévente en sus). Sinon, essayez d'y aller le mercredi matin, tout le monde est alors réuni sur la place Saint-Pierre pour l'audience papale. Notez aussi que les musées sont ouverts (de 9h à 13h) et gratuits le dernier dimanche du mois. Sacrées économies en perspective, mais dire qu'en haute saison il y a foule est un doux euphémisme.

■ BASILIQUE SAINT-PIERRE-DE-ROME
Piazza San Pietro
Voir la rubrique Les immanquables – Points d'intérêt – La basilique Saint-Pierre-de-Rome, p. 17.

■ CHÂTEAU SAINT-ANGE
Lungotevere Castello, 50
✆ +39 06 6896003
✆ +39 06 6819111
www.castelsantangelo.com
Ouvert tous les jours sauf le lundi, de 9h à 19h30. Fermé à Noël et le 1er janvier. Entrée 8,50 €. Le billet peut augmenter en fonction des diverses expositions temporaires.
Essayez donc d'y arriver par le pont Saint-Ange, orné de ses statues baroques, dont les superbes anges de Bernin qui portent chacun un instrument du calvaire du Christ. On jouit en plus d'une très belle vue sur le Vatican. Le château fut conçu par l'empereur Hadrien pour servir de tombeau à sa famille, en 135 de notre ère. La base carrée de 89 m de côté porte un haut cylindre de 64 m de diamètre, surmonté d'un tertre boisé et d'un autel. A l'époque d'Aurélien, le château devient forteresse et prison, puis résidence papale au XVe siècle où est construit un corridor jusqu'à Saint-Pierre. Une précaution qui sera bien utile durant le sac de Rome ! Clément VII et Paul III se font ensuite construire (1520-1530) les superbes appartements que l'on visite aujourd'hui. A proximité de la bibliothèque, ne pas manquer un ensemble de coffres en bois contenant jadis les archives secrètes du Vatican. De là, on peut atteindre la terrasse supérieure surmontée de l'archange saint

Château Saint-Ange de nuit.

Michel en bronze. Tout en admirant le panorama et la vue de Saint-Pierre, vous vous souviendrez de la scène finale de *Tosca,* d'après l'opéra de Puccini, tournée par Franco Zeffirelli à cet endroit.

COLLINE DU JANICULE

Il s'agit de cette colline qui borde Rome à l'ouest, entre le Vatican et le Trastevere, et qui marquait la frontière du pays étrusque. Janus, l'un des dieux de la fondation de Rome, s'installa sur le Janicule. Il avait deux visages qui regardaient dans deux directions opposées. C'était le dieu du Passage (d'où le mois de janvier) et de la Guerre. Les portes de son temple sur le Forum étaient ouvertes en temps de guerre et fermées en temps de paix. C'est aussi par le Janicule que Garibaldi attaqua Rome en 1849, sans pouvoir s'emparer de la ville, et c'est pourquoi on peut y voir sa statue.

ÉGLISE SAN PIETRO IN MONTORIO

Piazza San Pietro in Montorio, 2
Trastevere
www.sanpietroinmontorio.it
sanpietroinmontorio@libero.it
Ouvert de 8h30 à 12h et de 15h à 16h (du lundi au vendredi).

Un lieu de grande quiétude sur le Janicule. Eglise Renaissance construite pour le roi d'Espagne, Ferdinand II, au début du XVIe siècle, sur le lieu supposé du martyre de saint Pierre. Béatrice Cenci, celle qui fit assassiner son père, l'affreux Francesco, y repose. A côté de l'église, Donato Bramante a construit une sorte de maquette de temple rond, considéré comme l'archétype de la perfection des formes et des proportions par les humanistes de la Renaissance et que l'on appelle communément le Tempietto.

VATICAN ET TRASTEVERE

Musées du Vatican.

■ ÉGLISE SANTA MARIA IN TRASTEVERE

Piazza S. Maria in Trastevere
℡ +39 06 581 4802
Tram n° 8 depuis le largo Torre
Argentina ; descendre à l'arrêt
« Viale Trastevere », après la piazza Mastai, d'où l'on suit la via
di S. Francesco a Ripa qui conduit
à la piazza S. Callisto, située
derrière la basilique. Ouverte
de 7h30 à 13h et de 16h à 19h.
Ouvert de 7h30 à 20h.
Sa fondation remonterait au IIIe siècle
apr. J.-C. quand une petite communauté chrétienne obtint de l'empereur Septime Sévère la cession d'un
terrain. Sous sa forme actuelle,
l'église fut érigée à l'initiative
d'Innocent II à partir de 1140 et fut
maintes fois remaniée. Le clocher du
XIIe siècle porte une niche décorée
d'une mosaïque de la Vierge à
l'Enfant, thème que l'on retrouve sur
les mosaïques de la façade qui sont
de la même époque. L'intérieur obéit
à un plan basilical classique, avec
deux rangées de colonnes récupérées sur des sites antiques. Comme
toutes les églises de l'époque, les
mosaïques ont encore un style très
byzantin. Remarquez en particulier la
voûte de l'abside avec son Christ et la
Vierge assise sur un trône et, sur la
partie basse, les mosaïques de Pietro
Cavallini. Ce contemporain de Giotto
participa au renouveau de la peinture
et à la libération du joug byzantin. Ici,
il a réalisé six panneaux représentant
des scènes de la vie de la Vierge. Le
riche plafond du XVIIe siècle est peint
par le Dominiquin. Enfin, l'inscription
devant le chœur rappelle l'emplacement de la Fons Oleia et l'origine
mythique de l'église : en 38 av. J.-C.,
une source d'huile aurait annoncé la
naissance du Christ et serait devenue
objet de pèlerinage.

■ FONTAINE DELL'ACQUA PAOLA

Trastevere
Sur le Janicule, à proximité de l'église
San Pietro in Montorio se trouve la
majestueuse fontaine dell'Acqua Paola,
qui marque l'arrivée de l'aqueduc de
Trajan. Érigée en 1612, elle se compose
de trois arches constituant un seul et
unique arc de triomphe qui rappelle
la fontaine dell'Acqua Felice située en
face de Santa Maria della Vittoria. Elle
est du même artiste, Fontana. On salue
au passage *Garibaldi sur son cheval*, en
haut d'un socle monstrueux selon les
habitudes grandiloquentes de l'époque
(1895), avant d'atteindre l'Ospedale
del Bambino Gesù et la petite église
de Sant'Onofrio. C'est là que mourut le
Tasse en 1595. Chateaubriand y versa
des larmes, une longue citation des
Mémoires d'outre-tombe est gravée
sur la façade de l'église. La vue est
splendide.

■ GALLERIA CORSINI

Via della Lungara, 10
☏ +39 06 688 023 23
☏ +39 06 328 10
www.galleriaborghese.it/corsini/it/
default.htm
Ouvert de 8h30 à 19h30. Fermé le lundi, le 25 décembre et le 1er janvier. Entrée : 4 €.
Construit au XVe siècle par un neveu de Sixte IV, devenu ensuite propriété des Corsini, il fut la résidence à Rome de la reine Christine de Suède (qui d'ailleurs y mourut), puis de Joseph Bonaparte. Acquis par l'Etat italien en 1883, il abrite la collection d'œuvres d'art des Corsini avec des toiles d'artistes majeurs : le Caravage, Van Dyck, Poussin... Voir surtout *Salomé et la tête de Baptiste* de Guido Reni,

Chapelle Sixtine.

© CYNOCLUB - FOTOLIA

ou le petit tryptique du *Jugement dernier* de Fra Angelico. Le palais est également le siège de l'Académie des Lynx, la plus ancienne des académies de Rome dont Galilée fut membre (1603) et qui est connue pour sa fabuleuse bibliothèque de plus de 100 000 volumes.

■ MUSÉE DI ROMA IN TRASTEVERE

Piazza Sant'Egidio 1/B
☏ +39 06 581 6563
www.museodiromaintrastevere.it
museodiroma.trastevere@comune.
roma.it
Ouvert du mardi au dimanche de 10h à 20h. Fermé le 1er mai, à Noël et le 1er janvier. Entrée 6,50 €.
Situé dans l'ancien monastère de Sant'Egidio, l'édifice a été transformé en musée en 1976 et rénové en 2000. Les expositions permanentes sont dédiées à la vie quotidienne dans la Rome des XVIIIe et XIXe siècles. Métiers traditionnels (l'écrivain public, le pharmacien, le tavernier), traditions festives et religieuses sont présentés à travers gravures, aquarelles, dessins et personnages en cire. Au rez-de-chaussée, des expositions temporaires sont également organisées, avec une grande place accordée à la photographie.

■ MUSÉES DU VATICAN ET CHAPELLE SIXTINE

Viale Vaticano
☏ +39 669 884 676
Voir la rubrique Les immanquables – Points d'intérêt – Les musées du Vatican, p. 12.

VATICAN ET TRASTEVERE

Piazza Santa Maria in Trastevere.

▪ PIAZZA SANTA MARIA IN TRASTEVERE

Trastevere

Vous y passerez forcément lors d'une balade dans le Trastevere. La piazza de Santa Maria avec sa jolie fontaine de Bernin, son église et son décor du XVIIe siècle en est le centre. C'est le lieu de retrouvailles des familles en quête de fraîcheur, des touristes qui se prélassent en terrasse et des fêtards le soir. De là, partez vous perdre dans les *vicoli*, ces petits passages populaires suspendus dans le temps qui rappellent un peu le vieux Naples.

▪ VILLA FARNESINA

Via della Lungara, 230
Trastevere
☎ +39 06 680 272 68
www.villafarnesina.it
Ouvert du lundi au samedi de 9h à 13h.
Entrée : 5 €.
Un joyau de la Renaissance ! Cette résidence entourée de jardins fut bâtie pour accueillir les fêtes du richissime Agostini Chigi, le banquier des papes. Elle fut plus tard rachetée par Alexandre Farnèse, d'où son nom. Les meilleurs artistes de l'époque ont participé à l'ouvrage. Son architecte Baldassare Peruzzi (qui a également construit le palais Corsini) a décoré les salons du premier étage de peintures en trompe-l'œil ainsi que les voûtes de la salle de Galatée sur le thème des constellations. Raphaël, le protégé de Chigi, y a réalisé deux de ses chefs-d'œuvre avec le *Triomphe de Galatée*, représentant la nymphe sur un char tiré par des dauphins, et les plafonds de la galerie Psyché. A voir aussi les travaux de Sebastiano Del Piombo (scènettes inspirées des *Métamorphoses* d'Ovide et les *Amours de Galatée avec le cyclope*) et du Sodoma (*Noces d'Alexandre et de Roxane*).

■ VILLA SCIARRA

Il y a trois entrées qui se trouvent via Dandolo, viale delle Mura Gianicolensi et via Calandrelli.

Les amoureux des jardins vont se régaler ! Située entre le quartier du nouveau Monteverde et du Trastevere, la villa Sciarra est l'une des plus petites villas romaines, mais aussi l'une des plus belles. C'est un lieu de promenade idéal avec ses petits jardins reliés entre eux par de grandes allées bordées d'arbres, révélant des angles de vue insoupçonnés, surtout dans la partie haute du parc. Le parc a une superficie d'environ 8 000 m² et est essentiellement constitué d'espèces exotiques (58 espèces en provenance de l'Amérique et de l'Asie). Les arbres à fruits sont également nombreux, ainsi que les plantes typiques de la végétation méditerranéenne.

© ELKE DENNIS - FOTOLIA

SE RESTAURER

Les restaurants n'abondent pas dans le quartier du Vatican, en tout cas aux abords de la Cité où il n'y a pas grand-chose à faire en dehors des visites. Pour un peu d'animation, il faut vous diriger vers le Tibre dans le quartier de Prati où l'on trouve même des adresses branchées intéressantes (comme Naboo et la Soffita). Ne parlons pas du Janicule qui est un lieu de promenade et non de vie. En revanche, dans le Trastevere, c'est tout l'inverse. La concentration de restaurants est impressionnante dans la mouvance *trattoria* traditionnelle. Certaines adresses sont effectivement authentiques, mais attention on y trouve le meilleur comme le pire !

» Sur le pouce

■ FALAFEL KING

Via del Mascherino, 59/61
✆ +39 06 68 80 23 99
Ouvert tous les jours.
Pour un repas rapide à deux pas du Vatican, optez pour des falafels préparés sur commande, de bonnes salades, un taboulé ou des tartines d'houmous. Le tout servi avec le sourire, une denrée rare dans les environs du Vatican !

✔ PIZZARIUM

Via della Meloria, 43
Aux alentours du Vatican
✆ +39 06 3974 5416 – M° Cipro.
Repérer le petit attroupement, près de la station de métro Cipro Musei Vaticani. Pizzarium attire les locaux comme un aimant avec ses pizzas *al taglio*. Allez-y les yeux fermés.

Cuisiner comme un chef

Voici le moyen d'épater vos amis à votre retour de Rome ! Pour leur préparer de succulents *antipasti*, des pâtes maison et un bon dessert, inscrivez-vous à un cours de cuisine. Dans son restaurant familial du Trastevere, le chef Andrea Consoli vous révèlera même les secrets de manipulation de la fleur de courgette. La leçon dure environ 5 heures (pour un coût de 65 € par personne), au terme desquelles on déguste ce que l'on a préparé. Renseignements : www.cookingclassesinrome.com Viale di Trastevere 130 ✆ +39 06 580 0971 www.lefaterestaurant.it Les cours de cuisine ont lieu dans ce restaurant, du lundi au samedi à 10h, sur réservation uniquement.

» Pause gourmande

■ BISCOTTIFICIO INNOCENTI
Via della Luce 21
✆ +39 06 580 3926
Ouvert du lundi au samedi de 9h à 13h et de 16h à 19h30, ainsi que le dimanche de 9h à 13h. Fermé du 15 août au 15 septembre.
Frappe, castagnole, tozzetti con le mandorle sont quelques-unes des douceurs proposées dans cette caverne d'Ali Baba du biscuit au cœur du Trastevere. Les étudiants l'adorent ! Si vous préférez le salé, pas de problème, il y a aussi des petits fours et des mini-pizzas à emporter.

■ GELATERIA OLD BRIDGE
Viale dei Bastioni
di Michelangelo, 5
Vatican
✆ +39 06 397 230 26
M° Ottaviano San Pietro.
Ouvert du lundi au samedi de 9h à 2h, le dimanche de 15h à 2h.
Vous prendrez bien une petite glace après votre visite des musées du Vatican ? Depuis plus de 20 ans, ce minuscule glacier régale touristes et Romains du quartier avec ses glaces de saison servies dans des proportions très généreuses. Les parfums orange, menthe et amaretto sont des *must* !

■ VALZANI
Via del Moro, 37/b
Trastevere
✆ +39 06 580 3792
www.valzani.it
Ouvert de 14h à 18h les lundi et mardi, de 9h30 à 18h du mercredi au dimanche. Fermé en août et début septembre.
Sur la sympathique via del Moro, ce pâtissier-chocolatier régale les papilles du Trastevere depuis 1925. Il vous faudra beaucoup de cran pour parvenir à choisir entre les multiples truffes au chocolat, dont les plus originales sont épicées, les œufs de Pâques et les gâteaux fondants.

» Bien et pas cher

■ AUGUSTO

Piazza de Renzi, 15 – Trastevere
✆ +39 06 580 3798
Ouvert tous les jours, sauf le dimanche, de 12h30 à 14h30 et de 19h à 23h. Repas entre 15 et 20 €.
Soyez patients, car cette *trattoria* est une adresse bien connue et l'attente est parfois longue. Mais, une fois attablé devant les délicieuses assiettes du chef, vous ne regretterez rien. Ici, la cuisine est familiale, simple et traditionnelle. Pas de déception à craindre.

■ BIBLI

Via dei Fienaroli, 28 – Trastevere
✆ +39 06 581 4534
www.bibli.it
Ouvert le lundi de 17h à minuit et du mardi au dimanche de 11h à minuit.
Dans une tranquille ruelle du Trastevere, le café de cet espace culturel (librairie, centre Internet, concerts, conférences et projections de films certains soirs) offre une formule brunch tout à fait intéressante. A partir de 12h30, vous pourrez vous rendre au buffet et faire le plein de tartes salées, de quiches, de crêpes, de polenta... sans oublier des desserts présentés en nombre. A déguster dans un patio bien agréable.

■ DA LUCIA

Vicolo del Mattonato, 2B
Trastevere ✆ +39 658 036 01
Ouvert du mardi au dimanche de 12h30 à 15h30 et de 19h30 à minuit.
Une adresse familiale authentique (depuis 1938), plébiscitée par locaux et touristes. A la carte : assortiment d'*antipasti* (dont le *pecorino* accompagné de miel), *gnocchi*, calamars aux pois gourmands et, pour les amateurs, un ragoût de lapin succulent. Le service est efficace et sympathique, les portions copieuses et les prix restent doux.

■ FABRICA

Via G. Savonarola, 8
Aux alentours du Vatican
✆ +39 06 397 255 14
www.fabricadicalisto.com
M° Ottaviano San Pietro.
Fermé le lundi. Le dimanche, brunch de 12h30 à 16h et high tea de 21h à 23h.
Une ancienne menuiserie à deux pas des musées du Vatican qui a évolué en un charmant petit restaurant à la déco industrielle. Le buffet à 14 € est servi sur une longue table proposant quiches, *focacce*, moussaka, brioches, plumcake, tarte au chocolat... et bien d'autres surprises.

■ MARCO G

Via Garibaldi, 56 – Trastevere
✆ +39 06 580 9289
www.marcog.it
Ouvert du mercredi au lundi de 10h à 1h, fermé le mardi.
Sachez que le patron, Marco G, parle couramment français et, si vous avez de la chance, il vous accueillera peut-être lui-même. Pour l'*aperitivo*, le dîner, le brunch ou le petit déjeuner, cet établissement est toujours parfait. Les plats sont simples, bon marché et le service bien meilleur que partout ailleurs dans le Trastevere.

Les bonnes adresses de Luisa Longo

Voilà maintenant six ans que Luisa Longo, artiste peintre travaillant la soie en virtuose, a quitté son atelier de Bologne pour créer dans sa maison de famille du Trastevere le Bed & Breakfast Buena Notte Garibaldi, incontestablement la plus charmante maison d'hôte de la ville. Elle y a bien sûr transposé son atelier et continue de produire des vêtements et tissus d'ameublement de la plus belle qualité qu'elle présente dans de nombreux salons dédiés à la mode et à la décoration. Jeune femme esthète et raffinée, elle nous a confié ses préférences romaines :

 une promenade, la colline du Janicule avec San Pietro in Montorio et le temple de Bramante où les vues sur Rome sont splendides.

▶ **Le musée de la villa Giulia** avec sa superbe collection d'art étrusque.

▶ **L'Antica Pesa** pour sa cuisine excellente.

▶ **Da Lucia,** une *trattoria* typique.

▶ **Gente,** pour le choix.

▶ **Les boutiques du quartier Monti** pour leur originalité.

■ **ANTICA PESA**
Via Garibaldi 18, Trastevere
✆ +39 6 580 9236

■ **DA LUCIA**
Vicolo del Mattonato, 2B
Trastevere
✆ +39 658 036 01

■ **ÉGLISE SAN PIETRO IN MONTORIO**
Piazza San Pietro in Montorio, 2
Trastevere

■ **GENTE**
Via del Babuino 81 et 185
✆ +39 06 320 7671

■ **GUESTHOUSE BUONANOTTE GARIBALDI**
Via Garibaldi, 83
✆ +39 065 830 733

■ **MUSÉE NATIONAL ÉTRUSQUE DE LA VILLA GIULIA**
Piazzale di Villa Giulia 9
✆ +39 06 322 6571

■ LA PAROLACCIA
Vicolo Cinque, 3
Trastevere
✆ +39 06 583 0633
www.ristorantecenciolaparolaccia.org
Ouvert de 12h30 à 14h30 et de 19h à 23h, fermé le dimanche.

Les Romains sont connus pour parler vulgairement et jurer facilement. La Parolaccia (le gros mot) s'inspire de cette tradition. Ainsi, ne soyez pas surpris, on y sert une riche nourriture copieusement accompagnée d'insultes au moment de la commande, du service et de l'addition ! Le concept est pour le moins original. Boudé à ses débuts, la Parolaccia connaît à présent un étonnant succès. Avant d'y aller – si toutefois la formule vous convient – armez-vous de la plus grande tolérance et révisez un peu votre argot romain.

›› Bonnes tables

■ ANTICA PESA
Via Garibaldi 18
Trastevere
✆ +39 06 580 9236
www.anticapesa.it
Ouvert tous les jours de 12h30 à 14h30 et de 19h30 à 23h30. A partir de 50 € par personne.

Un restaurant au charme sans pareil, doté d'un chef cuisinier particulièrement talentueux. On dîne ici comme dans un cliché, autour d'une table carrée, nappée de blanc et éclairée d'une chandelle. Les plats sont recherchés, les saveurs originalement agencées et le résultat alterne entre tradition et nouveauté.

■ LA SOFFITTA RENOVATIO
Piazza Risorgimento, 46a
Aux alentours du Vatican
✆ +39 06 688 929 77
www.ristoranterenovatio.it
M° Ottaviano San Pietro
Ouvert tous les jours sans interruption de 11h à 1h. Comptez environ 25 à 35 € par personne.

La pizzeria napolitaine dans toute sa splendeur. Tenue par la famille Di Michele, originaire des Abruzzes, l'établissement mise sur la tradition, ce qui lui réussit plutôt bien, vu que le chef, Stefano Di Michele a été auréolé du titre de meilleur pizzaiolo d'Europe.

■ MAMA
Via Ruggero di Lauria, 26/a
✆ +39 06 39 74 23 41
www.ristorantemama.it
M° Cipro ou Ottaviano
Ouvert de 12h à 15h et de 19h à 23h30. Fermé le dimanche.

Mauro et Sonia sont deux sympathiques frangins qui ont décidé d'ouvrir ce nouveau restaurant non loin du Vatican.

Et ils ont mis leur maman aux fourneaux. Elle régalera vos papilles avec les plats typiques de la tradition romaine préparés comme seule une vrai mama italienne peut le faire : *involtini*, osso buco, tripes à la romaine et tous les autres classiques. Et ce n'est pas tout, le choix est très varié, avec d'excellents plats à base de poisson, cette fois, préparés par le chef Arcadio, originaire de Sardaigne, qui vous surprendra par sa fantaisie et sa créativité.

■ NABOO

Via Pietro Cossa, 51/b
Aux alentours du Vatican
℡ +39 06 360 036 16
www.naboo.biz
M° Ottaviano San Pietro
Ouvert tous les jours sauf le lundi de 19h30 à minuit. 30 € par personne.
Ici, on revisite la traditionnelle pizzeria avec panache, ajoutant à l'inévitable pizza, cocktails maison, pizzaiolo formé à New York et ambiance lounge. Une preuve que Rome ne se repose pas sur ses lauriers et vit bien au XXI° siècle.

■ LA SCALA

Piazza della Scala 58/61
Trastevere ℡ +39 06 580 3763
www.ristorantelascala.it
Ouvert tous les jours de midi à minuit. Repas hors boisson pour environ 30 €.
Encore un charmant restaurant du Trastevere ! Celui-ci nous propose l'*osso buco alla romana*, des *scallopine al marsala*, des raviolis aux quatre fromages, le *durisotto pescatore* et un petit choix de bonnes pizzas. La cuisine y est simple et bonne, les prix sont abordables.

■ LA TAVERNA TRILUSSA

Via del Politeama 21/23
℡ +39 06 581 8918
Ouvert tous les jours de 12h à 15h et de 19h à 23h. Repas entre 20 et 35 €.
Le service laisse parfois à désirer, mais cette table du Trastevere fait quasiment l'unanimité tant auprès des touristes que des Romains qui la fréquentent en nombre. On s'attable sous les vignes d'une magnifique terrasse devant des plats de pâtes qui font la réputation du lieu. Ne manquez pas les raviolis mimosa, spécialité du chef.

La Taverna Trilussa dans le quartier du Trastevere.

» Luxe

■ IL SIMPOSIO

Piazza Cavour, 16
Aux alentours du Vatican
℡ +39 06 3203 575
℡ +39 06 321 502
www.pierocostantini.it
enoteca@pierocostantini.it
Ouvert du lundi au samedi de 12h30 à 15h et de 19h à 23h. Comptez 30 à 60 € par plat.
Les amateurs et les connaisseurs de vin sont ici au bon endroit. Le Simposio est l'une des meilleures caves de Rome. Pour ne pas boire le ventre vide, on vous sert de merveilleux plateaux de fromages et des plats chauds. Médaillé en 2002 par le Touring Club italien, ce restaurant au décor Liberty concocte une cuisine riche de fantaisie (comme le gâteau de pommes de terre et fleurs de courgettes), tout en y associant les recettes du terroir.

SHOPPING

Tout le long de la via della Conziliazone qui mène à la basilique Saint-Pierre, les magasins proposent des souvenirs et des articles religieux. Pour le shopping dans le quartier du Vatican, direction Prati et en particulier la via Cola di Rienzo. On y trouve des enseignes comme Guess, Diesel, Miss Sixty, Mango, Calvin Klein, beaucoup de magasins de chaussures, des épiceries fines... Autre ambiance dans le Trastevere dont les ruelles sont plutôt le repaire de quelques jeunes créateurs qui proposent leurs objets dans de minuscules boutiques. A ne pas manquer le dimanche matin, le marché aux puces.

■ CASTRONI
Via Ottaviano 55
℗ +39 06 397 232 72
www.castronigroup.it
Ouvert du lundi au samedi de 7h30 à 20h.
Cette épicerie fine propose des spécialités culinaires du monde entier (thé, épices...). Côté produits locaux, vous pourrez y acheter vins et liqueurs, huiles d'olive, café au détail, pâtes, biscuits... L'ambiance est charmante. Au bar, ne manquez pas de goûter le cappuccino, d'une onctuosité incomparable !

■ DOLCE IDEA
Via Tolemaide, 14
℗ +39 06 8892 2774
www.dolceidea.com
Ouvert du lundi au samedi de 10h à 20h.

Avis aux amateurs, le chocolatier napolitain Dolce Idea possède une boutique à Rome. L'occasion de tester tous les cacaos du monde.

■ MARCHÉ AUX PUCES DE LA PIAZZA PORTA PORTESE
Trastevere
www.portaportesemarket.it
portaportese@portaportesemarket.it
Tous les dimanches, de l'aube à 14h.
L'un des plus grands marchés au puces d'Europe, avec son lots de bonnes affaires, d'arnaques et de pickpockets. Prudence, donc, mais l'ambiance gouailleuse vaut le détour.

■ OUTLET GENTE
Via Cola di Rienzo, 146
℗ +39 06 689 2672
www.genteroma.it
Ouvert du mardi au samedi de 10h à 19h30, le lundi de 15h30 à 19h30.
Le meilleur de la mode italienne jusqu'à -50 % ! Cet outlet récupère les stocks Gente des années précédentes et les revend à bas prix. Une aubaine ! Pour les collections de cette année, rendez-vous dans le quartier de la piazza di Spagna.

■ SPAZIO CORTO MALTESE
Via Fabio Massimo, 67
℗ +39 06 454 331 36
www.spaziocortomaltese.com
Ouvert du lundi au samedi de 9h à 13h et de 16h à 19h30.
Les fans de BD se précipitent dans cet espace. Le héros d'Hugo Pratt et bien d'autres personnages bullesques y sont présents en éditions originales. Des planches de jeunes dessinateurs sont aussi exposées.

SORTIR

On s'en doute, le quartier du Vatican, siège de l'Eglise catholique, n'est pas le meilleur endroit de la ville pour passer des soirées trépidantes. Une adresse à retenir toutefois, le club de jazz Alexanderplatz. Le Trastevere en revanche semble s'éveiller au coucher du soleil et draine les foules jusque tard dans la nuit. Les bars y sont nombreux, du petit troquet au grand café branché. Il est aussi bien agréable de traîner sur la place Santa Maria pour observer le manège. Mais, si vous avez prévu de danser jusqu'au bout de la nuit, il faudra retraverser le Tibre et descendre dans le quartier du Testaccio (hors les murs).

» Cafés - Bars

■ ALEXANDERPLATZ
Via Ostia, 9
℃ +39 06 397 421 71
www.alexanderplatz.it

Ouvert tous les jours de 20h à 2h. Entrée de 5 à 8 €. Réservation indispensable.
L'unique lieu de fête du Vatican, ou en tout cas le plus mythique. Vous pénétrez ici dans le plus ancien club de jazz d'Italie, où de nombreuses stars internationales ont joué. Les concerts débutent à 22h. En été, le club ferme et les concerts se déplacent au festival de jazz de Celimontana.

■ ARTÙ CAFÈ
Largo Maria Domenica Fumasoni, 5
Trastevere
℃ +39 06 588 0398
Ouvert tous les jours de 18h à 2h.
Ce restaurant, qui se change en bar/club à partir de 22h est situé sur la charmante place San Egidio du Trastevere. Un look vintage est ici travaillé, tant dans la déco que dans la musique, très années 1970 et 1980. Le jeudi, des concerts ont lieu, remplacés par des DJs vendredi et samedi, dans la salle du sous-sol.

© AUTHOR'S IMAGE – PHILIPPE GUERSAN

Bars sur les quais du Tibre près de Ponte Sisto.

■ BAR GIANICOLO

Piazzale Aurelio 5

☎ +39 06 580 6275

Fermé le lundi. Jus de fruits pressés en été ou chocolat chaud en hiver, lorsqu'une petite pause s'impose sur la colline du Janicule, c'est ici !

■ BIG MAMA

Vicolo di San Francesco a Ripa 18

☎ +39 06 581 2551

www.bigmama.it

Ouvert tous les jours de 21h à 1h30. Les spectacles commencent à 22h30. Prix de l'entrée variable selon les spectacles. Fermeture estivale.

Amateurs de blues, voici votre temple ! D'excellents musiciens de toutes les nationalités se produisent dans cette cave qui pourrait bien rivaliser avec les clubs de Harlem. Une ambiance très authentique donc. Certains soirs, la musique prend des consonnances jazz ou ethniques mais la qualité n'est jamais démentie. Manger ou boire un verre en écoutant de la (très) bonne musique, *what else* ? Ah, si ! Pensez à réserver pour être sûr d'avoir une table.

■ CIOCCOLATA E VINO

Vicolo del Cinque, 11/a, Trastevere

☎ +39 06 5830 1868

Le bar à shots du Trastevere ! Coincé entre deux ruelles, ce minuscule établissement sert les meilleurs cocktails qui soient.... ceux aux chocolat. Difficile à trouver, mais le résultat vaut la peine de chercher.

■ FRENI E FRIZIONI

Via del Politeama 4-6

Trastevere ☎ +39 06 454 974 99

www.freniefrizioni.com

Devanture d'un bar à vins dans le Trastevere.

Ouvert tous les jours de 18h à 2h, buffet de 19h à 22h.

Pour passer une soirée branchée et se frotter à la jeunesse romaine, rendez-vous à l'heure de l'*aperitivo* dans ce bar à cocktails. Dans un décor industriel, on jouit d'un buffet bien garni et d'une bonne musique, encore plus appréciable en terrasse, l'été.

■ GOOD

Via Santa Dorotea, 8/9

Trastevere

☎ +39 06 9727 7979

Ouvert tous les jours de 18h à 2h. Bar à vins.

Un bar à vins plutôt bien achalandé, dont la salle intérieure cultive une atmosphère tamisée. L'été, la terrasse est prise d'assaut. On aime s'y attabler, autour de petites assiettes de tapas gratuites (avec le verre de vin).

VATICAN ET TRASTEVERE

143

Flyer Nuovo Sacher.

■ NYLON
Via del Politeama 12, Trastevere
✆ +39 06 583 406 92
www.nylonroma.it
Ouvert tous les jours de 18h à 2h.
Tout nouveau spot branché pour les *happy few* du Trastevere, cet établissement, à la fois bar, restaurant et galerie d'art se distingue par son look post-industriel à la new-yorkaise. Le soir, les bougies illuminent la grande salle et la musique lounge se fait un peu plus rythmée. Soirées à thème : dégustation de vin le lundi, musique live ou DJ le mercredi, brunch le dimanche. Formule apéritive de 19h à 21h30 : toutes les boissons sont à 8 € et donnent accès à un buffet plus raffiné qu'ailleurs. Sinon, comptez 6 € le verre de vin et 10 € le cocktail. Salle de restaurant en mezzanine.

» Spectacles

■ AUDITORIUM
VIA DELLA CONCILIAZONE
Via della Conciliazone, 4
✆ +39 06 688 010 44
www.auditoriumconciliazione.it
L'Auditorium della Conciliazione est une prestigieuse salle de concerts, qui programme depuis les années 1930 les plus grands concerts de musique classique. Des chefs d'orchestre tels que Herbert Von Karajan ou Léonard Bernstein s'y sont produits.

■ CINÉMA AZZURRO SCIPIONI
Via degli Scipioni, 82
✆ +39 06 397 371 61
www.azzurroscipioni.com
Entrée : 6 €. Avis aux cinéphiles, le cinéma Azzurro Scipioni vous séduira assurément grâce à la programmation d'art et d'essai, qui fait honneur aux grands réalisateurs italiens, comme au films étrangers. Rendez-vous dans la salle Chaplin, pour les sorties récentes, et dans la salle Lumière, pour les chefs-d'œuvre !

■ NUOVO SACHER
Largo Ascianghi 1
✆ +39 06 581 8116
www.sacherfilm.eu
Les cinéphiles ne manqueront pas de se rendre dans ce cinéma de quartier dans le Trastevere, c'est l'antre du célèbre réalisateur romain Nanni Moretti. La programmation met en avant des films d'auteurs (italiens ou étrangers), projetés en version originale (le lundi). Il y a également un bar, une librairie et des séances en plein air durant l'été. Une très jolie ambiance bohème y règne.

■ TEATRO INDIA
Lungotevere Vittorio Gassman, 1
✆ +39 06 684 00 0314
www.teatrodiroma.net
L'achat et le retrait des billets se font au théâtre Argentina, sur le largo Argentina. Tarif unique : 15 €.
Temple de la performance et de la création, ce théâtre tient plus du centre d'expérimentation que de la salle classique. Pour les initiés et les curieux.

Termini,
Celio et Esquilin

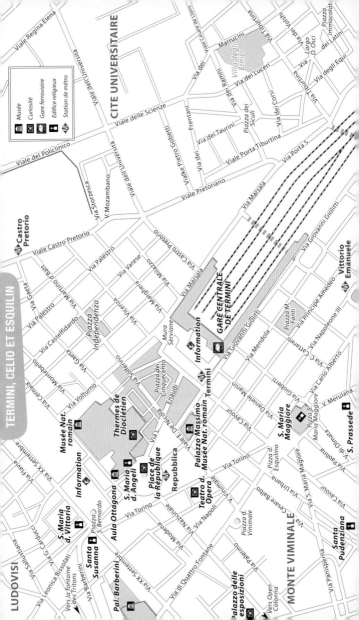

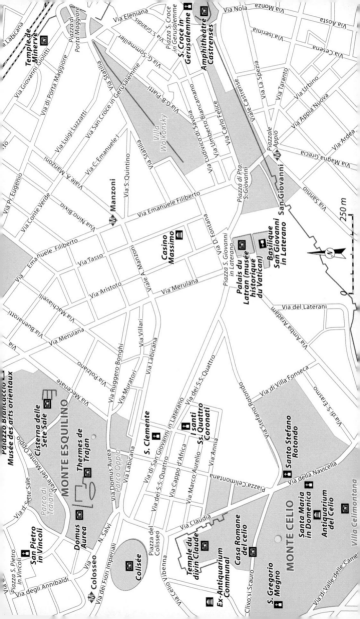

Termini, Celio et Esquilin

Pour beaucoup, c'est par la gare Termini que s'opère le premier contact avec la Ville éternelle. L'environnement est le même que dans toutes les gares d'Europe : larges avenues, circulation automobile, fast-foods. Pourtant, c'est autour de Termini, sur la colline de l'Esquilin, que l'on découvrira la plupart des églises paléochrétiennes de la ville !

Cette zone comprend d'abord l'axe reliant San Giovanni in Laterano à Santa Maria Maggiore, puis au palais Barberini, englobant la piazza della Republicca, les thermes de Dioclétien et la partie nord de la via Cavour menant à la gare. C'est la face nord de la colline de l'Esquilin, qui est après le Quirinal voisin la plus haute colline de Rome. Le quartier de l'Esquilin, bien que choisi dans l'Antiquité comme lieu de résidence par des personnages comme Horace, Virgile et Properce, garda pendant des siècles une mauvaise réputation. Maudit et malsain à cause de la présence de marais, il était utilisé comme lieu de sépulture des esclaves, des prostituées et des condamnés à la peine capitale. Au Moyen Age, sorcières et nécromanciens le choisirent pour se réunir la nuit et célébrer leurs rites mystérieux. Ce n'est qu'après 1870 et l'élection de Rome comme capitale de l'Italie que l'Esquilin fut pris d'assaut par la spéculation immobilière et se transforma en quartier résidentiel constitué d'immeubles gris typiquement piémontais. Cependant, le quartier situé entre la gare Termini et la piazza Vittorio Emanuele garde encore une mauvaise réputation. La colline est dominée par l'église Santa Maria Maggiore ; au sud de celle-ci, l'Esquilin descend dans le quartier de Monti vers la via dei Fiori Imperiali. Au nord de la gare de Termini, le quartier Castro-Pretorio doit son nom à la caserne de la garde prétorienne qui fut construite par Tibère. Il s'étend jusqu'à la via XX Settembre et la muraille d'Aurélien. En passant la porte Pia, on rejoint le quartier de Nomentura au nord et San Lorenzo à l'est. Le long de la via Marsala, qui longe la gare sur la face nord, se trouvent de nombreux hôtels, snacks et agences de voyage à destination des voyageurs à petit budget, tandis que la via Nazionale aligne magasins de mode et de chaussures bon marché.

Au sud-est de l'Esquilin, le mont Celio, également l'une des sept collines de la Rome antique, s'étend derrière le Colisée en direction de

Basilique Santa Maria Maggiore (Sainte-Marie-Majeure).

© ALFREDO VENTURI – ICONOTEC

Saint-Jean-de-Latran. A l'époque romaine, il est occupé par de grands domaines patriciens et par des bâtiments militaires. Puis après le règne de Constantin, il devient le siège de l'Eglise catholique qui construit la plus grande église du monde, San Giovanni in Laterano. Dévasté par les Normands de Robert Guiscard au XIe siècle, puis délaissé par les papes qui s'exilent en Avignon puis se réinstallent au Vatican, le Celio est resté une zone quasi campagnarde à l'intérieur des murs. L'expansion urbaine de l'Italie du Risorgimento s'y est curieusement peu manifestée. Le quartier, très important du point de vue archéologique et historique, représente également une zone riche d'attractions et d'amusements. Dans les petites rues situées entre le Colisée et la basilique se trouvent de nombreux restaurants et trattorias romaines, restaurants internationaux et marchés de quartier à l'atmosphère typique. Pendant l'été, la villa Celimontana, l'une des villas les plus appréciées des Romains, devient un endroit où il est possible d'écouter de la musique (notamment un festival de jazz très connu) ou d'assister à des spectacles de cinéma en plein air. On trouve sur le Celio de vastes jardins, des couvents et des hôpitaux. C'est sans doute grâce à eux que les anciens édifices religieux ont été préservés. Au sud du Celio, derrière le viale delle Terme di Caracalla, on retrouve l'Aventino et la Rome antique qui se prolonge hors les murs vers la via Appia Antica et la colline du Testaccio.

VISITER

Entre les très nombreuses églises paléochrétiennes, des musées vraiment dignes d'intérêt et les jardins de la colline du Celio, voici un quartier de visite somme toute assez complet.

◼ ARCHIBASILIQUE SAN GIOVANNI IN LATERANO

Piazza San Giovanni in Laterano 4 Esquilin ✆ +39 06 698 864 33 www.vatican.va – M° San Giovanni. *Ouvert tous les jours de 7h à 18h30. La sacristie est ouverte de 8h à 12h et de 16h à 18h. Entrée gratuite.*
La plus ancienne église au monde, fondée en 311, est aussi le siège de l'archevêché de Rome. Rien à voir avec les églises intimistes anciennes et propices au recueillement qui vous ont été données de voir. Ici, l'Eglise triomphante affiche sa victoire sur le paganisme. C'est la cathédrale de Rome, et ce fut la première église de la chrétienté avant que les papes ne lui préfèrent le Vatican à leur retour d'Avignon. C'est Constantin, premier empereur catholique qui offrit le territoire du Latran à l'Eglise, qui resta jusqu'au début du XIVe siècle le siège de l'administration pontificale. Inutile d'insister sur les ravages opérés par les Barbares, les Normands, les tremblements de terre et l'abandon du XIVe siècle... A leur retour d'Avignon, bien qu'installés au Vatican, les papes Martin V, Léon X, Paul IV, et surtout Sixte Quint (1585-1590), remirent la basilique en état. C'est ce Latran maniériste et baroque que nous voyons aujourd'hui. La façade de 1738 en rajoute dans le grandiloquent. Sous le porche, à gauche, la statue de Constantin provient des thermes et les portes en bronze sont issues de la curie antique. Du plan basilical originel restent les cinq nefs. Mais Borromini a habillé les pilastres de marbre et a aménagé des niches

Archibasilique San Giovanni in Laterano (Saint-Jean-de-Latran).

pour les statues des douze apôtres. Au-dessus, on voit des médaillons aux armes d'Innocent X. Le transept représente le témoignage le plus parlant du maniérisme romain. Tout cela est très intimidant. La chapelle du Saint-Sacrement offre quatre colonnes antiques couvertes de bronze doré. Unique ! Dans l'abside, les mosaïques de Jacopo Torriti, du XIIIe siècle, sont un chef-d'œuvre de l'art médiéval. A sa gauche, on accède à l'ancienne sacristie, décorée par une *Annonciation* de Marcello Venusti d'après un dessin de Michel-Ange. Quant au cloître avec ses petites arcades posées sur des colonnes décorées de mosaïques, c'est une petite merveille.

▶ **Le baptistère.** Fondé par Constantin au IVe siècle, il est, selon la tradition de l'époque, séparé de l'église, car les catéchumènes n'avaient pas accès au sanctuaire. C'est au Ve siècle que furent installées les colonnes de porphyre qui sont au centre de l'édifice. Le lanternon est du XVIe et les fresques du XVIIe. Mais les parties les plus intéressantes sont sans doute les chapelles attenantes : celle de Saint-Venance, de Sainte-Rufine et Seconde, ainsi que celle de Saint-Jean, à cause des mosaïques anciennes qu'elles ont conservées. En sortant du baptistère, on passe devant l'obélisque de granit rose, rapporté d'Egypte pour être placé au Circus Maximus et transporté au Latran par Sixte Quint.

■ **BASILIQUE PAPALE SANTA MARIA MAGGIORE**
Piazza di S. Maria Maggiore
☎ +39 06 698 868 00
www.vatican.va – M° Cavour.

Ouvert tous les jours de 7h à 19h. La sacristie est ouverte de 7h à 12h30 et de 15h à 18h30. Entrée gratuite.
C'est l'une des quatre grandes basiliques dites « patriarcales » avec Saint-Jean-de-Latran, Saint-Pierre du Vatican et Saint-Paul-hors-les-Murs. Le pèlerinage à Rome comportait des démarches pieuses dans ces quatre édifices pour bénéficier de toutes sortes d'indulgences. Depuis les accords de Latran, en 1929, ces quatre édifices font partie de l'Etat du Vatican. Il s'agit donc d'une basilique imposante, capable d'accueillir de grandes foules, mais qui, contrairement au Latran, a gardé une unité qui la rattache à son histoire. Le bâtiment est dégagé de tous côtés ; une vaste place s'étend devant la façade (Piazza Santa Maria Maggiore) et une autre, plus vaste encore, du côté de l'abside (Piazza dell'Esquilino). La façade du XVIIIe siècle est l'œuvre de Ferdinando Fuga, un architecte du baroque tardif proche de Franseco Borromini. Fuga l'a construite sur une façade précédente sans effacer les mosaïques du XIIIe siècle, œuvre de Filippo Rustici. Les mosaïques racontent le rêve du pape Liber : le 5 août 358, la neige tomba sur l'Esquilin et, sur cette neige, le pape Liber traça le périmètre de la nouvelle église. Encore aujourd'hui, tous les 5 août, on fête à Rome le miracle des neiges et l'on fait tomber sur la place, en face de la basilique, de la neige artificielle. La basilique actuelle remonte au Ve siècle. Sa construction est liée au concile d'Ephèse de 431 qui proclama Marie, mère de Dieu.

■ BASILIQUE SAN CLEMENTE

Piazza San Clemente
☎ +39 06 774 0021
www.basilicasanclemente.com
M° Colosseo.

Du Colisée, descendre la via Giovanni in Laterano. Ouvert de 9h à 12h30 et de 15h à 18h. Le dimanche de 12h à 18h.
San Clemente est sans aucun doute l'un des monuments les plus représentatifs de l'époque paléochrétienne et médiévale à Rome. Elle mérite une longue visite et une étude approfondie. L'ensemble est complexe, puisqu'il comporte trois niveaux, qui donnent, soit dit en passant, une idée de l'élévation du niveau du sol au cours de l'histoire. Le niveau inférieur est celui d'une habitation datant de l'époque républicaine, où fut installé au IIIe siècle un temple de Mithra, remplacé ensuite par un culte chrétien, probablement clandestin. Sur cette base, on construisit au IVe siècle une basilique dédiée au pape Clément (88-97 apr. J.-C.), le quatrième successeur de saint Pierre. Ravagée comme tous les environs par les Normands en 1084, elle fut reconstruite sur ses ruines au XIIe siècle, puis agrémentée au XVe et XVIIIe siècle. L'église supérieure est une basilique à trois nefs, séparée par des colonnes antiques. Elle a conservé tous les éléments classiques des basiliques anciennes : le chœur, le presbyterium derrière l'arc triomphal et l'abside avec le siège épiscopal. Le pavement et la décoration du mobilier de marbre sont l'œuvre des Cosmates, mais les mosaïques de l'arc triomphal et de l'abside sont antérieures. Elles présentent un contraste entre les styles byzantin et romain. On peut voir l'agneau pascal entouré de douze agneaux représentant les apôtres avec, de part et d'autre, Jérusalem et Bethléem, l'Ancien et le Nouveau Testament. A côté, dans la chapelle de Sainte-Catherine d'Alexandrie, des fresques de Masolino Da Panicale qui datent de 1429 constituent l'un des rares témoignages à Rome de l'art florentin du début du XVe siècle.

■ BASILIQUE SANTA CROCE IN GERUSALEMME

Piazza Santa Croce
in Gerusalemme, 12
☎ +39 06 706 130 53
www.santacroceroma.it
M° San Giovanni.

Ouvert tous les jours de 7h à 13h et de 14h à 19h30.
Non loin du Latran, à côté de la porte Santa Maria Maggiore, c'est l'une des sept basiliques de pèlerinage de Rome car, comme son nom l'indique, elle contient un fragment de la croix du Christ, ainsi que d'autres reliques ramenées par Hélène, mère de Constantin (qui, rappelons le, fut le premier empereur chrétien), de son pèlerinage à Jérusalem : des épines de sa couronne, un clou de la Passion et même un doigt de saint Thomas ! Cette église est en outre l'une des plus anciennes de Rome (on peut encore voir les colonnes de granit d'origine et le baptistère de Constantin récemment mis au jour), bien que fortement remaniée au XIIe siècle (témoin de cette époque le charmant campanile et le sol cosmatesque), puis au XVIIIe siècle baroque.

Mosaïques de la basilique Santa Prassede.

En plus de la chapelle des reliques, on peut voir de très belles fresques datées du XVe siècle relatant le pèlerinage de sainte Hélène.

■ BASILIQUE SANTA PRASSEDE
Via di Santa Prassede, 9a
✆ +39 06 488 2456
Ouvert tous les jours de 7h à 12h et de 16h à 18h30.
Sainte Praxède était fille de Pudens, sénateur romain qui aurait hébergé saint Pierre. Une église lui fut consacrée au Ve siècle, reconstruite par Pascal Ier (817-824) à l'époque de la grande restauration carolingienne. Le plan est évidemment basilical à trois nefs, avec arc triomphal et abside, couverts de mosaïques. La chapelle attenante, Saint-Zénon, est le tombeau construit par Pascal Ier pour sa mère. Les mosaïques de l'abside sont sans doute le meilleur exemple de mosaïques carolingiennes affranchies de l'esthétique byzantine. On y voit saint Paul tenant sainte Praxède sous sa protection, avec Pascal sous

son auréole carrée. Au-dessus de la porte de la chapelle Saint-Zénon, des médaillons présentent le Christ entouré des apôtres et la Vierge accompagnée de saintes. C'est l'intérieur surtout qui est étonnant, très étroit et entièrement couvert de mosaïques du IXe siècle montrant personnages et éléments végétaux. Une niche ajoutée plus tard abrite un fragment de colonne de la flagellation.

■ CASTRO PRETORIO
Via dei Mille, 21
Ce quartier tient son nom d'une caserne, celle du corps spécial des prétoriens. Il s'étend entre la piazza Esquilino, la via XX Settembre, la porta Pia, les murs Auréliens et la gare Termini. C'est la plus importante de Rome. Deux joyaux à ne pas rater : les thermes de Dioclétien (avec la basilique de Santa Maria degli Angeli à l'intérieur) et le Musée national romain.

■ CELIO
Le mont Caelius, l'une des sept collines de Rome, s'étend au sud-est du Colisée en direction de Saint-Jean-de-Latran. A l'époque romaine, il était occupé par de grands domaines patriciens et par des bâtiments militaires. Au temps de l'Eglise primitive, il garda cette fonction à proximité de la résidence des papes, qui se trouvait au Latran tout proche. Aujourd'hui, nombre de restaurants et *trattorie* s'y sont installés, ainsi que des restaurants internationaux et des marchés de quartier à l'atmosphère typique. Pendant l'été, la villa Celimontana, l'un des parcs les plus appréciés des Romains, accueille un grand festival de jazz et un cinéma en plein air.

TERMINI, CELIO ET ESQUILIN

■ ÉGLISE SANTA MARIA DELLA VICTORIA ET LA SAINTE THÉRÈSE DE BERNIN

Via XX Settembre, 17
✆ +39 06 4274 0571
www.chiesasmariavittoria.191.it
M° Repubblica.

Ouvert tous les jours de 6h30 à 12h et de 16h30 à 18h.

Cette église construite par Maderno entre 1608 et 1626 présente une exubérance qui annonce les baroques futurs de l'Espagne ou de l'Europe centrale. Les peintures en trompe-l'œil, les marbres, les dorures sont loin de la sobriété de Borromini. Elle est à voir impérativement pour la chapelle Cornaro, à gauche dans le transept, réalisée par Bernin en 1650 et qui abrite sa très célèbre statue de *Sainte Thérèse en extase*. La scène fut décrite par la sainte elle-même : « La douleur était si vive qu'elle m'arrachait des gémissements, mais la suavité qui l'accompagnait était si grande que je n'aurais pas voulu qu'elle cessât. » Toute la virtuosité du sculpteur éclate dans cette œuvre étonnamment sensuelle. Bernin fit percer une fenêtre au-dessus de son œuvre pour en assurer l'éclairage. Le résultat est magnifique !

■ ÉGLISE SANTI QUATTRO CORONATI

Via dei SS. Quattro Coronati
Celio ✆ +39 06 704 754 27
De l'église de Saint-Jean-de-Latran, prendre la rue à gauche de via Merulana. Ouvert de 9h30 à 12h et de 16h30 à 18h. La crypte est ouverte aux mêmes horaires, mais seulement les jours fériés.

Ce couvent quasi fortifié est à deux pas de San Clemente, sur les pentes du Celio. C'était en effet une défense avancée du Latran où résidait le pape. L'église primitive fut détruite en 1084 par Robert Guiscard, comme toutes ses voisines. L'édifice actuel fut construit au début du XIIe siècle par le pape Pascal II. Propriété des bénédictins jusqu'au XVe, il devint ensuite le domaine des sœurs augustines, qui l'occupent encore aujourd'hui. Elles y tiennent un hospice pour sourds-muets. Le porche du couvent franchi, il faut traverser une première cour avant d'atteindre l'église. Celle-ci, simple, à trois nefs, présente quelques belles fresques anciennes, sur le mur de l'entrée en particulier. L'abside a perdu ses mosaïques, remplacées au XVIIe siècle par des fresques qui racontent le martyre de quatre saints, sous Dioclétien. Mais, surtout, lors de la reconstruction, on a supprimé les anciennes nefs latérales, ce qui donne à l'abside des dimensions bizarres par rapport à la nef centrale et aux fresques du XVIIe, et quelque chose de démesuré.

■ ESQUILINO

Vous voici sur la plus haute colline des sept collines romaines. Sur son sommet s'est développé le quartier qui porte actuellement son nom. L'étymologie du mot « esquilin » dériverait de *esculus*, « chêne sacré de Jupiter ». Deux des basiliques majeures dites « patriarcales » se trouvent dans l'Esquilin. Elles sont au nombre de quatre et se trouvent toutes à Rome : Saint-Jean-de-Latran, Saint-Pierre du Vatican, Saint-Paul-hors-les-Murs et Santa Maria Maggiore.

GARE TERMINI

La gare centrale de Rome fut commencée peu avant la Seconde Guerre mondiale pour remplacer la vieille gare qui datait de l'arrivée du chemin de fer à Rome dans les années 1850. C'est un fascinant bâtiment moderne, dont la construction, interrompue par le conflit et terminée en 1950, est proche de l'esthétique des années 1930, dite de l'architecture totalitaire. La gare abrite toutes sortes de boutiques et même une galerie d'expositions temporaires. A gauche

Musée du Vatican, fresque murale
(« Ange musicien » par Melozzo da Forli).

© JOHN FRECHET - ICONOTEC

en sortant, les restes de la muraille de Servius Tullius datent du VIe siècle.

MUSÉE HISTORIQUE DU VATICAN

Dans le Palais de Latran.
Piazza San Giovanni in Laterano 4
M° San Giovanni.
Ouvert du lundi au samedi de 7h à 18h. Tour guidé uniquement. Entrée 5 €.
Le musée historique du Vatican est depuis 1973 situé au premier étage du palais de Latran. L'entrée se trouve dans l'atrium de la basilique. Les 16 salles se visitent obligatoirement avec un guide conférencier. Les premières salles ont un intérêt architectural et historique, et les dernières galeries donnent un aperçu du protocole du Vatican. On y voit également une série de portraits des papes des 500 dernières années.

MUSÉE NATIONAL ROMAIN AU PALAZZO MASSIMO

Largo di Villa Peretti
℡ +39 06 3996 7700
www.archeoroma.beniculturali.it
M° Repubblica.
Ouvert tous les jours, sauf le lundi, de 9h à 19h45. Entrée 7 €. Billet valable pour les 4 sites des Musées Nationaux Romains, Palais Massimo, Palais Altemps, Crypte Balbi et Thermes de Dioclétien).
Ce palais du XIXe siècle abrite une section du Musée national romain avec l'une des plus belles collections d'art antique au monde : portraits et bustes d'empereurs, bronzes, fresques, mosaïques, bijoux, sarcophages... du IIe av. J.-C. au IVe siècle.

TERMINI, CELIO ET ESQUILIN

*Palazzo Barberini
(galerie nationale d'Art ancien).*

■ MUSÉE NATIONAL ROMAIN AUX THERMES DE DIOCLÉTIEN

Viale E. de Nicola, 79
✆ +39 06 3996 7700
http://archeoroma.beniculturali.it
M° Termini.
Ouvert tous les jours, sauf le lundi, de 9h à 19h45. Entrée 7 €. Billet valable pour les 4 sites des Musées nationaux romains (Palais Massimo, Palais Altemps, Crypte Balbi et Thermes de Dioclétien).
Au cœur des vestiges des Thermes de Dioclétien, siège le Musée national romain qui montre, en toute logique, des objets et vestiges provenant des différents thermes antiques de la ville.

Il est également occupé par l'église Santa Maria degli Angeli, commandée à Michel-Ange au crépuscule de sa vie par le pape Pie IV. Le transept, immense, est aménagé dans ce qui fut le hall des thermes et laisse une grande impression de froideur.

■ PALAIS BARBERINI

Via Quattro Fontane, 13
✆ +39 06 328 10
✆ +39 06 482 4184
www.galleriaborghese.it
M° Barberini.
Ouvert du mardi au dimanche de 8h30 à 19h. Fermé le lundi, le 25 décembre et le 1er janvier. Entrée 6 €. Réservation des billets obligatoire.
L'un des très grands musées romains. Les collections qu'il contient sont exceptionnelles, et en plus il y a beaucoup moins de monde qu'au Vatican ! Le palais Barberini a été construit à partir de 1620 par les trois grands architectes baroques, Bernin, Maderno et Borromini dont les escaliers (dans l'aile droite) sont une merveille. Les œuvres, du XVe au XVIIIe siècle, sont présentées de façon chronologique. Parmi les tableaux incontournables : *Judith et Holopherne* du Caravage, *La Fornarina* de Raphaël, le *Portrait de Beatrice Cenci* de Guido Reni, la *Vierge à l'Enfant* de Filippo Lippi, l'*Enlèvement des Sabines* de Sodoma. Egalement des peintures du Greco, de Titien, ainsi que de l'école française du XVIIe (Poussin), des Flamands, des maniéristes italiens. Cette pinacothèque existe depuis 1995.

Fontana del Tritone du Bernin sur la Piazza Barberini.

■ PALAIS DES EXPOSITIONS

Via Nazionale, 194
✆ +39 06 3996 7500
www.palazzoesposizioni.it
M° Reppublica.

Avec une superficie de 10 000 m², ce bâtiment surnommé le Palaexpo est le plus grand espace d'exposition interdisciplinaire à Rome. De facture néoclassique, il fut inauguré en 1883 et a rouvert ses portes en 2007 après cinq ans de travaux. Sa programmation est essentiellement consacrée à l'art contemporain toutes disciplines confondues. Il accueillait en mai 2011 une grande exposition consacrée à l'unification de l'Italie. On trouve également dans le palais une salle de cinéma, un auditorium, un restaurant, un café et des espaces de jeux pour les enfants.

■ PALAIS DU LATRAN

Piazza San Giovanni in Laterano
La Scala Santa est accessible de 7h à 12h et de 15h30 à 18h30.

Lorsque les papes rentrent d'Avignon, le palais dans lequel ils résidaient est dévasté. Ils s'installent donc au Vatican et entreprennent de restaurer tout l'ensemble religieux du Latran. L'édifice actuel, qui abrite le gouvernement du diocèse de Rome, date du pontificat de Sixte Quint. Sa construction fut confiée par le pape à Domenico Fontana. Les restes du palais médiéval furent rasés, mais d'importantes reliques furent replacées dans la nouvelle chapelle des papes. Ainsi en est-il de la Scala Santa, l'escalier qui aurait été gravie par le Christ dans le palais de Ponce Pilate et qui aurait été miraculeuse-ment transportée par sainte Hélène, mère de Constantin, de Jérusalem au Latran ; les fidèles la grimpent à genoux. L'autre relique majeure est une icône représentant le Christ et qui serait l'œuvre des anges ! C'est dans ce palais que furent signés, en 1929, les accords de Latran, entre le Saint-Siège et Mussolini, qui reconnaissent l'existence politique du Vatican.

■ VILLA CELIMONTANA

Piazza della Navicella
Entrée pour le festival :
Piazza SS Giovanni e Paolo
✆ +39 06 5833 5781 (billetterie)
www.villacelimontanajazz.com
publico@villacelimontanajazz.com
M° Circo Massimo ou Colosseo.

Billets de 5 à 30 €. Située sur les hauteurs du mont Celio, la villa Celimontana est très appréciée des Romains et idéale pour une pause ombragée après une visite des thermes de Caracalla, du Colisée ou du Palatin. Elle est de petite taille et extrêmement soignée, et sa végétation luxuriante ne manquera pas de vous charmer. Ce fut le duc Mattei qui durant la seconde moitié du XVIe siècle transforma le terrain couvert de vignes envahissantes en véritable parc doté de riches sculptures. Le bâtiment principal abrite la Société géographique italienne. On trouve aussi une zone caractérisée par des restes archéologiques et un petit temple néogothique, qui mène à un parc de jeux pour enfants où il est possible de louer des poneys. Tous les étés, la villa accueille un festival de jazz très connu.

SE RESTAURER

Autour de Termini, pas mal de restaurants proposent des formules touristiques à des prix attractifs, mais qui valent peu de chose d'un point de vue culinaire. Pour manger du côté de la gare, fiez-vous plutôt aux quelques adresses que nous vous recommandons. L'Esquilin propose un bon choix d'établissements, surtout en descendant vers le quartier Monti (*voir aussi notre chapitre sur le Colisée*). Pas grand-chose à signaler sur le Celio, en dehors des adresses assez touristiques que l'on trouve en allant vers la basilique San Giovanni in Laterano.

Il regno di tiramisù !

■ **POMPI**
Via Albalonga, 7/11
✆ +39 06 700 0418
M° Re di Roma.
Ouvert tous les jours de 6h30 à 1h30.
Pompi se cache hors des murs d'Aurélien, derrière la porte San Giovanni, mais l'adresse mérite une petite marche aller, et retour, pour digérer. Car il y a fort à parier que vous en reviendrez repus. Ce bar-glacier est en effet connu pour ses multiples tiramisus, dont celui aux fraises.

» Pause gourmande

■ **PALAZZO DEL FREDDO GIOVANNI FASSI**
Via Principe Eugenio, 65
✆ +39 06 446 4740
www.palazzodelfreddo.it
M° Vittorio Emanuele.
Ouvert du mardi au dimanche de 12h à minuit.
Le quartier peu touristique de la piazza Vittorio Emanuele n'est pas dénué de bonnes adresses. Et pour cause, c'est ici que vivent les Romains ! Voici donc Palazzo del Freddo, le glacier du quartier, qui aimante les foules avec ses multiples parfums depuis 1880.

■ **PANELLA L'ARTE DEL PANE**
Via Merulana, 54
✆ +39 06 487 2651
www.panella-artedelpane.it
M° Vittorio Emanuele.
Ouvert du lundi au jeudi de 8h à 23h, vendredi et samedi de 8h à minuit, dimanche de 8h30 à 16h. Compter 8 € pour un aperitivo.
Le pain décliné dans toutes ses variétés. On est ici au-delà de la simple boulangerie. Panella présente le pain comme un aliment à part entière, à déguster comme un gâteau. Les *aperitivo* de la boutique sont d'ailleurs très prisés.

» Bien et pas cher

■ **L'ESQUILINO**
Via Cavour, 87
M° Cavour.
Ouvert tous les jours de 12h30 à 14h30 et de 19h à 23h.
Un restaurant aux allures de cantine sympathique, qui sert une carte

simple et traditionnelle, constituée de plats consistants, comme chez la mamma. Les habitués apprécient le service chaleureux et la fraîcheur des ingrédients.

◼ LA CICALA E LA FORMICA

17 Via Leonina
Monti ✆ +39 06 481 7490
✆ +39 347 843 9489
www.lacicalaelaformica.info
M° Cavour

Ouvert toute l'année sauf deux semaines en août. Plats de 7 à 17 €.
Ce restaurant à l'ambiance très sympathique se trouve au cœur du quartier Monti. La cuisine de la maison est majoritairement issue du terroir romain, même si on y ressent des influences venues d'Ombrie, de Toscane, Campanie, des Pouilles. Le pain, les pâtes et tous les desserts sont faits maison !

◼ LUZZI

Via San Giovanni Laterano, 88
✆ +39 06 709 6332
www.colosseo.org/lucianoluzzi/
lucianoluzzi@colosseo.org
M° Colosseo.

Ouvert tous les jours midi et soir, sauf le mercredi. Comptez environ 20 € par personne, ou 8 € par pizza.
Si vous cherchez un endroit calme, passez votre chemin. Ici la vraie romanité explose ! Le propriétaire est un personnage digne d'une comédie italienne des années 1960, histrion et vrai commerçant. Les plats sont bons et on retrouve des spécialités romaines, comme les pizzas cuites au feu de bois. La terrasse a envahi la rue et l'ambiance est surexcitée.

›› Bonnes tables

◼ CANNAVOTA

Piazza S. Giovanni in Laterano 20
✆ +39 06 772 050 07
www.cannavota.it

Ouvert de 12h30 à 14h30 et de 19h à 23h. Fermé le mercredi. Compter 30 € environ. Le cadre est vieillot et il faudra en faire abstraction si l'on veut profiter de ce que Cannavota a à offrir. Au menu : excellents antipasti, risotto aux fruits de mer et la spécialité du chef, les *canelloni alla Canova* (pâtes farcies aux champignons et fruits de mer). Vous avez ici l'assurance d'un repas soigné, consistant et servi dans une atmosphère détendue et honnête.

◼ CHINAPPI

19, Via Augusto Valenziani
Entre la Villa Borghese e la Gare Termini ✆ +39 06 481 9005
Fax : +39 06 474 2454
www.chinappi.it
chinappi@chinappi.it

Menu dégustation (poisson) 50 €. Menu traditionnel (viande) 50 €. Grand menu méditerranéen (poisson) 75 €. Menu végétarien 50 €. Menu enfants 25 €. Menu surprise 100 €.
Dans la salle très élégante de son restaurant, Stefano, avec sa femme et son équipe dynamique, perpétue la tradition familiale en servant des plats à base de poissons, fruits de mer et crustacés connus dans toute la ville pour leur qualité et leur fantaisie. Le poulpe de Gaeta, les moules au Tegamino, la sole à la Chinappi, les huîtres et les crudités sont autant de spécialités à ne pas manquer.

TERMINI, CELIO ET ESQUILIN

161

■ IL TEMPIO DI MINERVA

Viale Manzoni 64-66-68
℡ +39 06 4558 2868
Compter 20 à 40 € par repas.
Le sympathique patron du Temple de
Minerve se plie en quatre pour satis-
faire ses clients. Essayez la mozzarella *di bufala*, ainsi que les lasagnes
ou la parmigiana. Traditionnel et sans
prétention. Une excellente *trattoria*.

■ RISTORANTE ISIDORO

Via di San Giovanni in Laterano 59/a
San Giovanni
℡ +39 06 700 8266
www.hostariaisidoro.com
*Fermé le samedi à midi. Pour un repas
complet, compter environ 20 € à 25 €.*
Si vous avez très faim, essayez ce
sympathique resto situé entre le
Colisée et la basilique San Giovanni et
demandez s'ils peuvent vous préparer
des *assagini*, de petites portions de
pâtes et de risotto apportées les
unes après les autres jusqu'à ce vous
déclariez forfait ! Sinon, le risotto aux
fruits de mer fera très bien l'affaire.
On s'installe dans une salle chaleureuse voûtée, aux murs en briques.

■ RISTORANTE MASSIMO D'AZEGLIO

Via Cavour, 18 ℡ +39 06 487 0270
www.romehoteldazeglio.it
hb@bettojahotels.it
*Menu du jour à 25 €. Ouvert tous les
jours midi et soir.*
Le très chic hôtel Massimo d'Azeglio
possède un restaurant plutôt bien
achalandé, dont le menu du jour
propose, en fonction de la saison,
pieuvre, œufs à la russe, risotto aux
fruits de mer de saison, médaillon de
porc sauce relevée, dessert, fruits,

© DR

Palette gourmande signée Agata e Romeo.

fromage et café. Un repas à accompagner de vin, à choisir dans la cave
très fournie du restaurant.

>> Luxe

■ AGATA E ROMEO

Via Carlo Alberto, 45 Esquilin
℡ +39 06 446 6115
www.agataeromeo.it
ristorante@agateeromeo.it
M° Vittorio Emanuele
*Ouvert de 12h30 à 15h et de 19h à
23h, fermé les samedi et dimanche.
Compter 20 à 40 € par plat. Menu
dégustation à 58 €. Réservation
obligatoire.*
Ce restaurant très réputé a pourtant
démarré comme une *trattoria* locale,
faisant ses preuves au fil des années.
Aux fourneaux, Romeo Caraccio et sa
femme Agata Parisella préparent une
cuisine du Latium et de Campanie
inventive et raffinée. Possibilité de

choisir entre deux menus dégustation. Côté vins, plus de 1 500 crus à la carte ! Jolie salle décorée de céramiques et de cristal.

SHOPPING

Un quartier de shopping plutôt populaire, entre les marchés de l'Esquilin, celui de via Sannio et les boutiques de mode bon marché de la via Nazionale. A noter aussi que l'on trouve bien une cinquantaine de boutiques (mode, librairie...) dans le hall de la gare Termini.

■ MARCHÉ DE LA VIA SANNIO
Saint-Jean-de-Latran
☎ +39 06 907 7312
Ouvert tous les matins jusqu'à 14h, et le samedi toute la journée.
Au sud de la piazza San Giovanni, le rendez-vous des bobos fanas du cuir ! Sacs, portefeuilles, chaussures, vestes et manteaux de seconde main se disputent les étalages. De bonnes affaires dans le désordre et la pagaille ! Y aller le samedi, jour où l'on trouve davantage de vendeurs, et bien fouiner pour dénicher la perle rare.

■ MARCHÉ DE L'ESQUILIN
Via Principe Amadeo
Tous les matins, du lundi au samedi.
Cette halle couverte abrite le plus grand marché de denrées alimentaires de Rome, situé dans le quartier très cosmopolite de la piazza Vittorio Emanuele II, derrière Termini. Epices, fruits exotiques, ingrédients typiques des cuisines orientales, se mêlent aux produits du terroir italien. Le marché aux poissons est particulièrement réputé.

■ TRIMANI
Via Goito, 20 ☎ +39 06 446 9661
www.trimani.com – M° Termini.
Ouvert du lundi au samedi de 9h à 20h30.
Trimani est dédiée à la gastronomie italienne dans toute sa splendeur. De la charcuterie aux pâtes, en passant par les épices et les sauces, Trimani s'illustre également dans sa grande sélection de vins. D'ailleurs, la boutique est rattachée à un bar à vins situé à proximité.

SORTIR

Non, décidément, ce n'est pas là que vous ferez la fête. Quelques adresses seulement pour passer la soirée de façon agréable.

» Cafés - Bars

■ SHAMROCK
Via Capo d'Africa 26/d
☎ +39 06 700 258
www.shamrockirishpub.it
Ouvert de 17h à 2h.
Un pub irlandais fréquenté par les étudiants, derrière le Colisée. On y boit de la bière, du cidre ou un bon whisky en écoutant de la musique celtique ou en regardant un match de foot.

■ DOME CAFÉ
16/18 Via Domenico Fontana
☎ +39 06 648 215 67
www.domerockcafe.blogspot.com/
danibibbo@alice.it
Ouvert du lundi au samedi de 10h à 2h.
Pour une virée nocturne dans le quartier de la basilique San Giovanni, c'est l'adresse à retenir.

Festival de jazz Villa Celimontana

Tous les étés durant le festival Estate Romana qui accueille moult événements culturels en ville, la villa Celimontana prend des airs jazzy avec des concerts organisés pratiquement tous les soirs à partir de 21h. Tous les courants du jazz sont représentés avec des formations talentueuses venues du monde entier. Un événement à ne pas manquer !

▶ **Renseignement :** www. villacelimontanajazz.com

On aime le décor recherché, fait de voûtes au plafond, de murs peints en rose, de gros tuyaux industriels et de bibelots gothiques que l'on croirait volés dans une église ! Le jazz règne en semaine, remplacé par la house et la pop le week-end.

■ TRIMANI

Via Goito, 20 ℭ +39 06 446 9661
www.trimani.com – M° Termini.
Ouvert du lundi au vendredi de 11h30 à 15h et de 17h30 à 00h30, le samedi uniquement le soir. Fermé en août.
Cette œnothèque est l'une des plus fournies de la ville. Plus d'une trentaine de vins sont proposés au verre, à accompagner de fromages et autres délicieux amuse-bouche. Une boutique du même nom est située à deux pas, pour prolonger la soirée à la maison.

» Spectacles

■ TEATRO DELL'OPERA

Piazza Beniamino Gigli 7
ℭ +39 06 481 602 55
www.operaroma.it
servizio.didattica@operaroma.it
Grand salle classique, l'Opéra de Rome réunit tous les spectacles lyriques qui se jouent dans la capitale, du chant à la danse. L'été, le spectacle touche à la magie, puisque chaque œuvre est jouée dans les Thermes de Caracalla, rendant l'ensemble toujours plus dramatique.

■ TEATRO ELISEO

Via Nazionale 183
ℭ +39 06 488 722 22
www.teatroeliseo.it
Places de 11 à 32 €.
Cette salle avant-gardiste met en scène des spectacles vivants de façon moderne. Productions essentiellement italiennes. Egalement des spectacles pour enfants.

Terrasses de cafés de la Piazza del Cinquecento.

© AUTHOR'S IMAGE – PHILIPPE GUERSAN

IN ·AERVMNA·MEA
DVM·CONFIGITVR·SPINA

Hors les murs

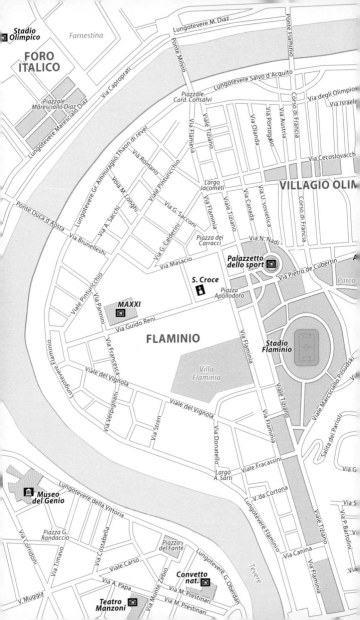

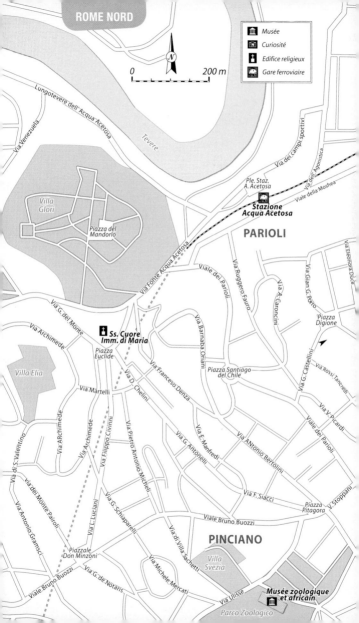

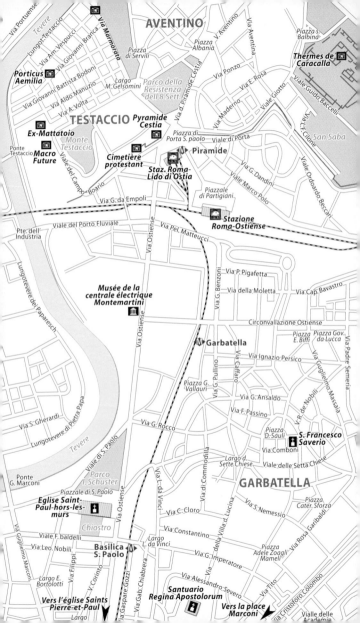

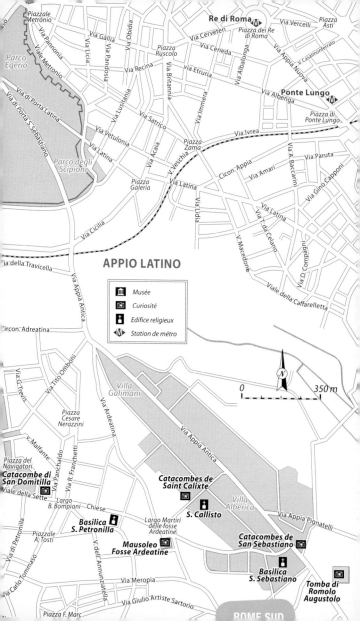

Hors les murs

Les richesses de Rome sont telles que l'on oublie que c'est une ville fortifiée. Pourtant la muraille érigée par Aurélien au IIIe siècle subsiste encore en grande partie. Tous les grands sites ou presque se trouvent dans cette enceinte. Mais il y a des exceptions comme la via Appia Antica ou le Monte Testaccio. Par ailleurs, on trouve hors les murs les lieux les plus branchés, discothèques ou structures d'art contemporain. Comme la ville n'est pas très étendue, il serait dommage de ne pas les prendre en considération lors de votre séjour romain. Voici les clés pour se repérer :

▶ **Au nord de la villa Borghèse,** les quartiers de Flaminio et Parioli s'étendent jusqu'au Tibre (au niveau du ponte Milvio) et au jardin de la villa Ada. Ce sont des quartiers paisibles habités par les VIP romains. C'est là qu'ont poussé les nouveaux lieux culturels de la ville comme l'auditorium Renzo Piano

et les nouveaux grands musées d'art contemporain. De l'autre côté du Tibre, le Monte Mario accueille la Pergola, le restaurant le plus étoilé de Rome.

▶ **Plus à l'est,** au nord de Termini, le quartier Nomentana est lui aussi résidentiel et élégant. Il s'étend entre la via Salaria, la via Nomentana et la via Tiburtina. De nombreux parcs et villas bordent la via Nomentana, dont celui de la villa Torlonia où résidait Mussolini. On y trouve le MACRO (Musée d'art moderne) et les églises de Santa Constanza et Sant'Agnese.

▶ **Complètement à l'est de Termini,** au début de la via Tiburtina, on trouve le quartier de San Lorenzo aux origines populaires et ouvrières. Bombardé durant la Seconde Guerre mondiale, il héberge la cité universitaire, d'où une forte présence d'étudiants (issus pour beaucoup du sud de l'Italie). Partout dans le quartier, on trouve des restaurants, des bars, des ateliers d'artistes. C'est le fief de l'esprit contestataire à Rome.

▶ **Direction le sud de la ville à présent.** Derrière les thermes de Caracalla, la colline de l'Aventin, occupée à l'époque républicaine par la plèbe, est aujourd'hui un quartier résidentiel élégant et boisé, silencieux et très peu fréquenté, où le jet set habite de splendides villas qui se mêlent aux nombreux couvents paléochrétiens. Derrière la porte San Sebastiano, l'ancienne route consulaire, la via Appia Antica aligne ruines, catacombes... Un parc régional a été créé pour la protéger, en opposition aux intérêts de spéculation immobilière. C'est l'un des endroits les plus suggestifs de Rome et une promenade à vélo y est hautement conseillée !

▶ **À l'ouest de la via Appia Antica,** le long du Tibre sur la rive opposée au Trastevere, le Monte Testaccio est la septième colline de la Rome antique, artificiellement formée sur des restes d'amphores. Longtemps habité par les classes les plus pauvres, le quartier Testaccio-Ostiense est aujourd'hui le lieu des boîtes de nuit les plus branchées et des sites de création alternatifs installés dans les anciens abattoirs.

▶ **Dans le prolongement,** le quartier Garbatella avec la basilique San Paolo Fuori le Mura fut construit pendant les années 1920 selon le concept de « quartier jardin » conciliant esthétisme et praticité. Il s'agit d'un quartier peuplé et populaire d'habitations situées dans des petites maisons ou immeubles à trois étages. Quelques adresses très prisées des noctambules également.

▶ **Enfin,** plus au sud encore, le quartier de l'EUR construit en 1937 par le gouvernement fasciste qui envisageait de monter une exposition universelle. Il se trouve sur le trajet d'Ostie et de l'aéroport. Le plan général de l'EUR (pour Esposizione Universale di Roma, donc) ressemble étrangement à celui de la Défense à Paris, car, à partir de 1950, l'EUR devint un grand quartier d'affaires destiné à décongestionner Rome. On y trouve de nombreux ministères et le siège d'importantes entreprises, des monuments imposants en marbre et travertin pour rappeler la gloire de la Rome antique. Parmi les attractions, l'église de San Pietro et Paolo, le musée de la Civilisation romaine, le Musée national de la préhistoire et d'ethnographie...

Via Appia Antica.

VISITER

Hors les murs de Rome, vous découvrirez probablement des facettes insoupçonnées de la Ville éternelle. Des catacombes de la via Appia Antica aux lieux alternatifs du Testaccio et de San Lorenzo, ou au quartier d'architecture fasciste de l'EUR, chaque quartier mérite d'être intégré à un programme de visite long. A vous de choisir, en fonction de vos centres d'intérêt.

Basilique Saint-Paul-hors-les-Murs, statue de Saint-Paul.

© ALFREDO VENTURI – ICONOTEC

■ AUDITORIUM
PARCO DELLA MUSICA

Viale Pierre de Coubertin 30
Flaminio
✆ +33 6 80 24 12 81
www.auditorium.com
Accès en train jusqu'à Euclide.
L'architecte Renzo Piano a dirigé le projet de ce complexe, entièrement dédié à la musique. Trois salles de concerts, plusieurs espaces d'exposition et un superbe jardin sont accessibles aux visiteurs, qui pourront aussi découvrir les vestiges d'une ancienne villa romaine, découverte pendant les travaux.

■ BASILIQUE
SAN PAOLO FUORI MURA

Via Ostiense 190 – Barbatella
✆ +39 06 698 808 00
www.basilicasanpaolo.org
M° ligne B, station Basilica di San Paolo.
Ouvert de 7h à 18h. Le cloître est ouvert de 9h à 18h et l'entrée est de 3 €.
Avec le Latran, le Vatican et Sainte-Marie-Majeure, Saint-Paul-hors-les-Murs est l'une des quatre basiliques majeures de Rome et fait partie à titre du territoire du Vatican. Saint Paul, martyrisé en 67 apr. J.-C., y fut enterré le long de la via Ostiense. Au IVe siècle, Constantin fit construire un petit sanctuaire sur le tombeau du saint. L'ensemble fut ensuite remanié pour faire face à l'affluence de pèlerins. Durant le VIIIe siècle, l'église fut le centre d'un petit Etat monastique-féodal, Giovannopoli, constitué d'un bourg et de l'abbaye. Saccagée à plusieurs reprises, la basilique fut entourée d'une enceinte fortifiée

Rome « Maxxi » contemporaine

■ **MAXXI**
V. Guido Reni, 6
Flaminio
☎ +39 06 321 0181
www.fondazionemaxxi.it
Ouvert du mardi au dimanche de 11h à 19h (le jeudi et samedi jusqu'à 22h). Fermé le lundi, le 1er mai et le 25 décembre. Entrée : 11 €.
Au printemps 2010, la Cité éternelle a inauguré dans le quartier de Flaminio (où se trouve déjà l'auditorium de Renzo Piano) un grand musée national dédié à l'art contemporain et à l'architecture, le MAXXI (pour Musée des arts du XXIe siècle). C'est le premier du genre en Italie. La structure, mariant le béton brut et le verre qui laisse filtrer la lumière naturelle par le toit, porte la signature tout en fluidité de son architecte star anglo-irakienne Zaha Hadid. Au total, 27 000 m² accueillent une collection d'art contemporain réunissant artistes italiens de renom (Stefano Arienti, Lara Favaretto, Domenico Gnoli) et pointures internationales (Andy Warhol, Gerhard Richter), ainsi que de précieux documents concernant l'architecture mondiale.

au IXe siècle et ensuite enrichie, surtout au Moyen Age. La nef impressionne par ses dimensions et ses 80 colonnes de granit, une véritable forêt ! La lumière vient des ouvertures garnies d'albâtre transparent, ce qui lui donne une nuance très particulière. A voir l'arc triomphal avec une mosaïque du Ve siècle. En 1823, un incendie dramatique a ravagé l'église. Heureusement de très belles pièces de mobilier ont été sauvées. Dans la chapelle du Saint-Sacrement, à gauche du transept, on verra un Christ en bois de Cavallini et une statue de sainte Brigitte de Maderno. Le candélabre du cierge pascal est une œuvre des Vassaletto, tout comme le cloître attenant. Il faut consacrer un moment à la pinaco-

thèque pour y voir l'état de l'ensemble après le désastre de 1823, décrit en une série de gravures.

■ **CATACOMBE
DI SAN DOMITILLA**
Via delle Sette Chiese
Près de la Via Appia Antica
☎ +39 06 511 0342
☎ +39 06 513 3956
Ouvert du lundi au dimanche de 9h à 12h et de 14h à 17h. Fermé le mardi. Entrée : 8 €.
Les plus vastes des catacombes romaines. Une basilique à trois nefs y est comme encastrée, ce qui nuit à la compréhension de l'ensemble. Elle contient de très beaux vestiges de peintures du IIIe siècle.

La via Appia Antica comme un prince

Pour parcourir le sud de la Rome antique et en particulier la via Appia Antica sans se fatiguer, il existe un bus touristique, l'Archéobus, qui selon la formule Stop & Go permet de visiter à son rythme les sites les plus chargés d'histoire. Ce bus découvert, part tous les jours de Termini de 9h à 16h30 avec un arrêt au Colisée et aux thermes de Caracalla. Il dessert ensuite les différentes catacombes sur l'Appia Antica, puis remonte en s'arrêtant au Circo Massimo et à la Bocca della Verità. Les passages sur chacun de ces sites ont lieu toutes les demi-heures. Le billet coûte 10 € et est valable 24 heures.

■ **ARCHÉOBUS**
Via Prenestina
℡ +39 800 281 281
www.trambusopen.com

■ **CATACOMBE DI SAN CALLISTO**
Via Appia Antica 110
℡ +39 06 513 015 80
www.catacombe.roma.it
callisto@catacombe.roma.it
Ouvert de 9h à 12h et de 14h à 17h sauf le mercredi. Entrée : 8 €.
Sur la droite de la via Appia Antica après la petite église Quo Vadis, les catacombes de Saint-Calixte se trouvent parmi les plus importantes de Rome. Datant du IIe siècle apr. J.-C., elles font partie d'un ensemble funéraire qui occupe une zone de 15 ha avec un réseau de galeries, long de presque 20 km, sur différents niveaux et atteignant une profondeur supérieure à 20 m. On y trouve la sépulture de dizaines de martyrs, de seize pontifes et de très nombreux chrétiens. Les catacombes prennent le nom du diacre saint Calixte qui, au début du IIIe siècle, était chargé de l'administration du cimetière. Elles devinrent le cimetière officiel de l'Eglise de Rome. Elles furent considérées comme de véritables sanctuaires au cours des premiers siècles et, comme tels, furent visitées par d'innombrables pèlerins et à une époque récente également par les papes Pie IX, Jean XXIII, Paul VI et Jean-Paul II.

■ **CATACOMBE DI SAN SEBASTIANO**
Via Appia Antica, 136
℡ +39 06 785 0350
www.catacombe.org
Ouvert du lundi au samedi de 9h à 12h et de 14h à 17h. Fermé le dimanche. Entrée : 8 €.
C'est à cet endroit que se trouvait le cimetière Ad Catacumbas, devenu le nom générique pour toutes les catacombes du monde. La basilique qui s'y trouve est une basilique constantinienne revue au XVIIe siècle. Ce qui est intéressant, ce sont les trois hypogées païens récupérés. C'était à l'origine des colombariums. Dans la salle attenante, dite Triclia, on vénérait les apôtres.

■ CIMETIÈRE PROTESTANT

Via Caio Cestio 6 – Testaccio
℡ +39 06 574 1141
M° ligne B, station Piramide.
Ouvert de 8h à 11h30 et de 14h30 à 16h. Fermé le lundi et les jours fériés.
La communauté des étrangers de Rome – à laquelle il était interdit de se faire enterrer dans les murs de la ville – installa son cimetière, au début du XVIIIe siècle, près de la Piramide Cestia. Au XIXe siècle, plusieurs écrivains et artistes choisirent ce lieu comme dernière demeure. Parmi eux, Keats, mort dans sa maison de la piazza di Spagna (la Casina Rossa), sa tombe n'est pas reconnaissable car elle ne porte pas de nom. Seul un poème en anglais du poète nous permet de la repérer. On y trouve également des Italiens un peu moins « catholiques » que les autres, comme Antonio Gramsci, fondateur du parti communiste italien, et le réalisateur Pier Paolo Pasolini.

■ ÉGLISE DE SAN LORENZO FUORI MURA

Piazzale San Lorenzo – San Lorenzo
℡ +39 06 698 64
Bus 71, 93, 163 ou M° ligne B, station Policlinico.

Ouvert de 7h30 à 12h30 et de 16h à 20h (19h30 en hiver).
Un premier sanctuaire fut construit par Constantin vers 330, repris par Pélage à la fin du VIe siècle. L'église conserve un aspect ancien grâce à Pie IX qui, au XIXe siècle, fit enlever la plupart des adjonctions baroques. Le bombardement de 1943 endommagea fortement l'édifice, qui fut soigneusement restauré par la suite. Sous le porche se trouvent des sarcophages, dont un du IVe siècle. Les trois nefs sont séparées par des colonnes antiques dépareillées, surmontées de chapiteaux de Vassaletto. Dans la nef centrale, deux ambons des Cosmates. Le chœur, surélevé, est au niveau de la première église. L'autel est surmonté d'un ciborium également cosmatesque. L'arc triomphal de l'église de Pélage est orné d'une mosaïque représentant le Christ accompagné de Pierre, Laurent et Pélage portant son église. A voir également le trône de l'évêque, œuvre cosmatesque, et le narthex de l'ancienne église où est enterré Pie IX. Par la sacristie, on accède à un charmant cloître romain.

Nef de la basilique Saint-Laurent-hors-les-Murs.

© ALFREDO VENTURI – ICONOTEC

ÉGLISE SANT'AGNESE FUORI MURA

Via Nomentana 349
Nomentano
✆ +39 06 861 0840
www.santagnese.com
santagnese@santagnese.net
Bus 36 de la gare Termini,
arrêt via Nomentana.
Ouvert tous les jours de 9h à 12h et de 16h à 18h30.
Sous le règne de Dioclétien, sainte Agnès connut un sort terrible. S'étant refusée au préfet de la ville, elle fut exposée nue en public, mais sa chevelure la sauva de l'opprobre. Miraculeusement épargnée par les flammes, elle finit tout de même égorgée. Elle fut enterrée au cimetière de la via Nomentana. Pour rejoindre l'église, on descend par un long escalier qui débouche dans le narthex. L'église est de plan basilical classique du VIIᵉ siècle, bien que les adjonctions du XVIIᵉ siècle en aient un peu altéré l'esprit. À voir surtout, la mosaïque de l'abside représentant Agnès parée comme une impératrice byzantine et accompagnée des deux papes fondateurs de l'église.

ÉGLISE SS. PIETRO E PAOLO

Pietro e Paolo 8 – EUR
✆ +39 06 592 6166
www.santipietroepaoloroma.it
Ouvert de 8h à 20h.
Le moins que l'on puisse dire, c'est que cette église du quartier de l'EUR surprend par son architecture. Construite en 1937, en pleine période fasciste, elle a la forme d'un énorme cube auquel on a rajouté quatre ailes latérales. La coupole est recouverte d'écailles d'ardoise grise et elle est surmontée par un pinacle sur lequel se trouve un ange en bronze. Sa construction fut interrompue deux ans après le début des travaux à cause de la guerre et terminée seulement après 1946.

EUR

Piazzale delle Nazioni Unite,
Mᵒ ligne B, station EUR Palasport ou EUR Fermi.
Quartier fondé en 1937, à l'origine pour accueillir l'Exposition universelle – qui n'eut jamais lieu à cause de la guerre – l'EUR est un exemple frappant de l'architecture totalitaire. Ses monuments imposants, en marbre et travertin, étaient censés rappeler la gloire de la Rome antique. Aujourd'hui, ils témoignent de l'époque fasciste, durant laquelle quelques expériences architecturales intéressantes furent tentées.

FLAMINIO

Via Flaminia Nuova, 821
Mᵒ ligne A, station Flaminio.
Ici se trouve l'Auditorium ou Parc de la musique, fondé à partir d'un projet de l'architecte Renzo Piano et constituant le plus important monument culturel et social réalisé à Rome au cours de ces dernières années. L'autre point fort du quartier : le MAXXI ! Avec ce musée, Rome (et même l'Italie tout entière) s'est dotée enfin d'un véritable musée contemporain qui lui faisait tant défaut.

GARBATELLA

Mᵒ ligne B, stations Garbatella ou Basilica di San Paolo.

Ce quartier fut construit pendant les années 1920 par des architectes comme Marcello Piacentini, l'architecte du régime fasciste, selon le concept de « quartier jardin », conçu pour concilier esthétisme et praticité. A l'origine très populaire et ouvrier, il a su préserver sa personnalité et une balade dans ses rues offre l'occasion de découvrir une Rome bien différente de celle du Colisée.

■ MACRO

Via Nizza 138, à l'angle
de la Via Cagliari – Nomentano
℠ +39 06 06 08
macro@comune.roma.it
Ouvert du mardi au dimanche de 11h à 22h. Jusqu'à 14h les 24 et 31 décembre. Fermé les 1er janvier, 1er mai, 25 décembre. Entrée : 11 €.
Situé dans le quartier Nomentano, sur le site des anciennes usines de bière Peroni, ce musée qui a ouvert ses portes en 2002 était le premier lieu d'importance consacré à toutes les formes de création contemporaine à Rome. Sur 1 600 m^2 d'espace d'exposition, il présente les travaux des grands artistes italiens depuis les années 1960 jusqu'à nos jours. Ceux du groupe Forma 1 (Accardi, Sanfilippo, Perilli, Dorazio), ceux de la Scuola di Piazza del Popolo, une école qui, après avoir assimilé la leçon du pop art américain, réélabore dans ses œuvres l'imaginaire populaire de la société de consommation et des mass media (Festa, Schifano, Rotella, Maselli, Pascali), ceux de la Nouvelle Ecole romaine, un mouvement de la fin des années 1980 qui trouve son expression à Rome dans le quartier San Lorenzo (Pizzi Cannella, Dessì, Bianchi, Ceccobelli, Tirelli), et enfin ceux d'artistes encore plus actuels comme Asdrubali, représentant de l'Astrazione Povera, Giovanni Albanese qui fait du *ready-made* et de l'invention mécanique l'objet d'une poétique ironique et flamboyante, Cristiano Pintaldi, Luigi Ontani, Claudio Abate, Leandro Erlich, Sissi et Ciracì. Le projet d'agrandissement du complexe intitulé le NUOVO MACRO, qui se réalise sur plan de l'architecte Odile Decq, s'achemine avec l'ouverture d'une nouvelle aile en mai 2010.

■ MACRO FUTURE

Piazza Orazio Giustiniani, 4
Testaccio
℠ +39 06 671 070 400
www.macro.roma.museum
macro@comune.roma.it
Ouvert du mardi au dimanche de 16h à minuit. Fermé le 1er mai. Entrée gratuite, expositions temporaires 2 à 4 €.
MACRO Future, annexe du MACRO, est installé dans le complexe de l'ancien abattoir du Testaccio construit au XIXe siècle, une zone qui accueille également de nombreux lieux artistiques alternatifs. L'Abattoir (ex-Mattatoio) est considéré comme un des bâtiments industriels les plus importants de la ville pour sa modernité et pour l'originalité de ses structures qui en font un exemple intéressant d'« archéologie industrielle » encore existant. Le MACRO Future occupe deux pavillons inaugurés en 2003 qui accueillent les travaux des jeunes artistes les plus prometteurs.

■ MAUSOLÉE
DE SANTA CONSTANZA
Via Nomentana 349
Nomentano

Ouvert du mardi au samedi de 9h à 12h et de 16h à 18h. Le lundi de 9h à 12h. Les dimanche et jours fériés de 16h à 18h. Les catacombes sont fermées du 2 au 30 janvier.

Peut-être fille de Constantin, Constance fut guérie de la lèpre après avoir passé une nuit près du tombeau de sainte Agnès. Datant du IVe siècle, le mausolée a gardé son architecture d'origine et des mosaïques de l'époque. Le bâtiment est rond, précédé d'un vestibule ovale. La coupole repose sur des colonnes jumelées, à l'extérieur desquelles se trouve une sorte de déambulatoire voûté orné de mosaïques préchrétiennes à motifs floraux, avec des portraits en médaillon. Dans les niches creusées en dessous de cette voûte, les thèmes sont chrétiens et les œuvres plus récentes. Ce mausolée était lié à une basilique, dont il ne reste que les murs dégradés d'une partie de la nef. Le mausolée de Constanza est d'autant plus important qu'il existe peu de bâtiments de ce type qui nous soient parvenus dans cet état.

■ MONT TESTACCIO

Testaccio dérive du mot latin *testa*, c'est-à-dire « tesson », en référence au matériel avec lequel le mont fut artificiellement construit, les amphores romaines jetées là par les *horrea*, les entrepôts de Rome. On a pu dater la formation de ce dépôt entre 140 apr. J.-C. et la deuxième moitié du IIIe siècle. Mais ce site est surtout lié dans la mémoire des Romains au carnaval. En effet, entre 1250 et 1470, on y organisait les Ludus Testaccie, des jeux assez violents, puisqu'on avait l'habitude de jeter du haut de la colline des cochons, des taureaux ou des sangliers. A partir de 1670, le Testaccio accueillit les premières *osterias* dans ses galeries souterraines ; ce sont aujourd'hui des bars et des boîtes branchées.

■ MUSÉE DE LA CENTRALE
ÉLECTRIQUE MONTEMARTINI
Via Ostiense 106
Ostiense/Garbatella
℗ +39 06 820 591 27
www.centralemontemartini.org
info.centralemontemartini@
comune.roma.it
M° ligne B, station Garbatella.

Ouvert du mardi au dimanche de 9h à 19h et les 24 et 31 décembre de 9h à 14h. Entrée : 5,50 €. Ce musée fait partie des musées conventionnés avec la Capitolini Card.

Voici un extraordinaire exemple de reconversion d'un bâtiment industriel. Utilisée au départ comme solution temporaire par le musée du Capitole pour permettre au public de continuer à avoir accès à ses collections durant des travaux de rénovation, l'ancienne centrale Montemartini présente une scénographie tellement surréaliste que l'on a décidé d'y placer ces œuvres de façon définitive. Et c'est ainsi que les statues antiques côtoient l'architecture industrielle propre au quartier d'Ostiense pour le plus grand bonheur des esthètes.

■ MUSÉE
DE LA CIVILISATION ROMAINE
Piazza G. Agnelli 10
℡ +39 06 06 08
www.museociviltaromana.it
info.museociviltaromana@comune.
roma.it
*Ouvert du mardi au samedi de 9h à
14h et le dimanche de 9h à 13h30.
Entrée : 6,50 €.*
Dans le quartier de l'EUR. Vaste
collection de reproductions exposées
dans 59 salles et illustrant les
origines, l'histoire et la vie de Rome.
A voir particulièrement, la grande
maquette de Rome au IVe siècle
apr. J.-C. (salle 37). Salles consacrées à l'armée, à la marine, au droit,
à la vie familiale et religieuse, à l'art,
à l'industrie, à l'artisanat, à l'éco-
nomie. Visiter également les salles
respectivement consacrées à Auguste
et à César. Tout pour comprendre la
complexité d'une ville aussi prodige.

■ MUSÉE DES ARTS
ET TRADITIONS POPULAIRES
Piazza Marconi 8/10 – EUR
℡ +39 06 592 6148
www.popolari.arti.beniculturali.it
*Ouvert du mardi au dimanche de 9h
à 20h. Entrée : 4 €.*
Ce musée du quartier EUR s'intéresse
à la vie quotidienne des Italiens, du
plus lointain passé jusqu'au début
du XXe siècle. A travers l'artisanat
(bijoux, vaisselle), mais aussi grâce
à des témoignages sur les fêtes, le
transport, l'agriculture, l'échange, la
pêche, le théâtre, c'est un mode de vie
tout aussi parlant que les arts majeurs
que nous découvrons. A voir, le *Lys* de
Nola exposé dans le grand escalier.

■ MUSÉE DES MURS
Via di Porta San Sebastiano 18
℡ +39 06 704 752 84
www.parcoappiaantica.it
*Ouvert tous les jours, sauf le lundi,
de 9h à 14h. Entrée : 3 €.*
Essentiel pour comprendre l'évolution
géographique de la ville à travers les
siècles, ce musée se trouve dans la
porte de San Sebastiano (IIIe siècle
apr. J.-C.), où commence la via Appia
Antica. Il retrace l'histoire de Rome
à travers celle de ses remparts. A
l'aide de reproductions commentées
(en italien et en anglais), toutes les
époques sont évoquées.

■ MUSÉE NATIONAL
**DE LA PRÉHISTOIRE
ET D'ETHNOGRAPHIE
LUIGI PIGORINI**
Piazzale Marconi 14
℡ +39 06 549 521
www.pigorini.arti.beniculturali.it
*Ouvert tous les jours de 10h à 18h,
fermé le lundi. Entrée : 6 €.*
L'équivalent du musée de l'Homme
romain se trouve dans le quartier
EUR. Deux sections : ethnographique au 1er étage, préhistorique
et protohistorique au 2e étage. Au
rez-de-chaussée, on remarque un
grand canoë à balancier venant de
Papouasie-Nouvelle-Guinée. Dans
la section ethnographique, on côtoie
une partie africaine avec des pièces
de toute époque venant d'Ethiopie, du
Nigeria, d'Angola (masques, sculptures, statues). La partie Amérique
présente une collection de divers
objets indiens (kayaks, arcs, harpons,
calumets de la paix).

HORS LES MURS

Via Appia, ruines du Cirque Maxime.

La dernière partie, ethnographique, est consacrée à l'Amérique précolombienne avec notamment de belles collections de bijoux ou d'armes en or (ou recouverts de feuilles d'or), mais aussi des objets incrustés de jade ou de turquoise. Une salle est dédiée aux Indiens du Brésil et nous renseigne sur leurs coutumes et leur histoire. Au 2e étage, la vaste collection préhistorique et protohistorique présente des objets mis au jour par des fouilles effectuées dans et autour de Rome. Toutes les phases de la préhistoire sont détaillées, du paléolithique inférieur à l'âge du fer. Divers objets : armes, céramiques, urnes cinéraires ainsi que des fossiles et ossements humains.

■ PARC DE L'APPIA ANTICA
Point d'information
Via Appia Antica, 58-60
✆ +39 06 5135316
www.parcoappiaantica.it

Ouvert du lundi au vendredi de 9h30 à 13h30 et de 14h à 16h30 (17h30 en été). Les dimanches et les jours fériés, horaire continu de 9h30 à 17h30. Possibilité de louer des vélos à l'entrée.

Principale voie de communication du monde méditerranéen, la via Appia traverse la campagne romaine sans exhiber de constructions modernes agressives. On a presque l'illusion que rien n'a changé depuis le VIe siècle, si l'on oublie les pancartes un peu racoleuses qui invitent à la visite des catacombes. Car ce sont bien sûr ces fameuses catacombes et leur légende qui attirent ici la foule des pèlerins. Pourtant l'Appia Antica, ce n'est pas seulement des catacombes, c'est aussi – et surtout – un parc immense où le temps semble s'être arrêté. Vous ne manquerez pas d'y remarquer les nombreuses villas qui bordent la rue, dont on n'aperçoit bien souvent que le portail d'entrée. Il va sans dire que ces villas sont encore habitées, et majoritairement par les descendants de l'ancienne aristocratie romaine. C'est là que se trouve le très intéressant musée des Murs. En vertu de lois écologiques datant du Ve siècle avant notre ère, il était interdit d'ensevelir les morts dans l'enceinte de Rome. C'est pourquoi les voies qui sortaient de Rome étaient bordées de riches tombeaux, comme celui des Scipions, et de cimetières, comme les catacombes.

■ PORTE PIA

Nomentano
Au nord de la ville, permettant d'accéder au quartier Nomentano, l'une des portes les plus importantes de la muraille romaine. Elle fut érigée à 100 m de l'ancienne porte Nomentana sous le pape Pie IV, en 1564. Sa façade intérieure fut l'une des dernières œuvres de Michel-Ange. C'est également par cette porte que Garibaldi entra dans Rome le 20 septembre 1870. Ce jour-là, l'artillerie italienne réussit à ouvrir une brèche dans la muraille marquant ainsi la fin de l'Etat pontifical, et l'annexion de Rome au Royaume d'Italie.

■ PRATI

Via della Giuliana, 68,
Son nom dérive du mot *prati*, qui signifie « prairies » en italien. En effet, cette zone était recouverte de prairies il y a 150 ans. Situé sur la rive droite du Tibre, cette portion de Rome s'étend actuellement de la piazza Risorgimento à la piazza Mazzini. Dans ce quartier élégant et raffiné se situe le palais de justice de Rome, dit aussi le Palazzaccio (le mauvais palais). Son centre névralgique est la piazza Cavour, une des places les plus grandes de la ville. Une zone commerciale s'étend entre la via Cola di Rienzo et la via Ottaviano, dans laquelle vous pourrez trouver un grand nombre de magasins.

■ PYRAMIDE CESTIA

Piazza di Porta San Paolo
Testaccio
✆ +39 06 399 677 00
Ouvert uniquement pour des visites guidés.
Vous la verrez en sortant du métro Piramide. C'est la tombe d'un certain Caïus Cestius. Construite au début de la via Ostiense, en 20 av. J.-C., suivant la mode de l'époque, elle mesure 30 m de côté et 36 m de hauteur. Pendant des siècles, elle se trouvait en dehors de la ville sur la via Ostiensis mais, en 274, elle fut englobée dans les murs d'Aurèle. Sur le côté ouest, une petite ouverture permet d'atteindre la chambre de sépulture de 5,90 m sur 4,10 m et recouverte par une voûte.

© JOHN FRECHET – ICONOTEC

La pyramide de Cestius.

■ QUARTIER COPPEDE

Entre la viale Regina Margherita
et la via Tagliamento, derrière la
place Buenos Aires, Parioli

A deux pas de la villa Ada, en empruntant la via Tagliamento, les curieux
pourront découvrir l'un des joyaux de
la Rome insolite et secrète, le quartier
Coppede, du nom de l'architecte gênois
qui l'a imaginé. Entre 1913 et 1926,
Gino Coppede fait bâtir ce quartier,
incroyable mélange architectural, qui
cultive une atmosphère étrange et
hors du temps. Le cœur se trouve
piazza Mincio, où s'élève la Fontana
delle Rane, la fontaine des grenouilles.
Autour, s'arrondissent 18 villas et
26 immeubles, destinés aux classes
aisées. Coppede avait pour ambition
de rassembler en une seule œuvre
architecturale tous les visages de
Rome depuis 2000, de l'Antiquité à
l'Empire, jusqu'à l'Art déco.

■ SAN LORENZO

Via dei Sabelli, 119,
M° ligne Castro Pretorio.
Bus n° 38, 86, 92, 217, 360 492.

San Lorenzo est un quartier situé
au début de la via Tiburtina à côté
de la gare Termini, à l'est du cœur
historique. Quartier aux origines
populaires et ouvrières, malgré
une certaine « contamination » ces
dernières années, il garde encore un
style romain typique, et il suffit de s'y
balader pour s'en apercevoir.

■ STADIO OLIMPICO

Roma 00194
Via Foro Italico – Prati
www.asroma.it – www.sslazio.it

Il s'agit du plus grand et plus
important ensemble sportif de Rome,
ainsi que du plus grand stade d'Italie,
avec le San Siro de Milan. Il peut
accueillir 83 000 spectateurs assis et
couverts. Adossé à la colline de Monte
Mario et près du Lungotevere (quai)
Flaminio, il se trouve à l'intérieur du
village olympique. Un incontournable,
si vous êtes fan de foot et que vous
souhaitez voir jouer l'AS Roma ou la
Lazio, dans une ambiance évidemment indescriptible. Mais il s'y tient
aussi des grands concerts.

■ TESTACCIO

M° ligne B, station Piramide.
Bus n° 23, 30, 75, 280, 716.

Le quartier du Testaccio s'organise autour du mont du même
nom. Autrefois, la zone était lieu de
commerce, ensuite point d'événements
religieux et ludiques, aujourd'hui lieu de
rencontre des noctambules romains. A
proximité des murs Auréliens se trouve
le cimetière protestant. A ses côtés se
dresse la pyramide Cestia, contruite
sur la demande du consul Caio Cestio.

■ VALLÉE DE LA CAFFARELLA

Cette magnifique vallée, qui s'étend
au sud de Rome, près de la via Appia
Antica, doit son nom à la famille
Caffarelli qui en devient propriétaire au
milieu du XVIe siècle. Elle est traversée
par le fleuve Almone, considéré comme
sacré, car il serait lié aux origines
mythiques de Rome.

■ VILLA DORIA PAMPHILI

*Entrées via Aurelia Antica, via
Leone XIII, via della Nocetta, via Vitellia
et via San Pancrazio. Seuls les parcs
sont accessibles. Ouvert du lever au
coucher de soleil. Entrée libre.*

Avec ses 180 ha, c'est, à l'est du Trastevere, la plus grande des villas historiques de Rome et il faudrait bien une demi-journée pour en faire le tour ! Cela dit, il est possible de voir les principaux sites en deux heures : le lac situé au milieu du parc et ses canaux, le jardin du théâtre et le casino du Bel Respiro, le jardin des serres et les jardins secrets, la chapelle Doria Pamphili de style néogothique. Le noyau initial de la villa a été réalisé par Camillo Pamphili, neveu du pape Innocent X, au milieu du XVI siècle. Le lieu avait été choisi en raison de la présence d'eau et surtout de sa proximité avec le Vatican, un passage souterrain reliait d'ailleurs Saint-Pierre avec l'édifice le plus important de la villa, le Casino.

■ ZONE DES AQUEDUCS
Le long de la Via Appia Nuova.
M° Subaugusta
Cette zone s'étend sur une quinzaine d'hectares où il est possible d'admirer des restes (plus ou moins impor-

tants selon les zones) d'imposants aqueducs. Elle s'étend entre les quartiers de Cinecittà et Quarto Miglio, qui abritaient sept des onze aqueducs qui alimentaient la Rome antique en eau.

SE RESTAURER

On mange plutôt bien hors les murs, dans des quartiers où les adresses ne sont pas vouées au tourisme. Si l'EUR est pratiquement un désert gastronomique, on trouve en revanche de bonnes adresse au Testaccio, qui est un peu le berceau de la cuisine romaine populaire (les abattoirs se trouvaient dans le quartier et la cuisine a gardé cette influence).
Des trattorias typiques aux tables design, le quartier accueille une population de Romains branchés et fine bouche tandis que, dans le quartier étudiant de San Lorenzo, on trouve de bonnes choses à des prix très corrects. Pour trouver le meilleur restaurant de Rome, il faut aussi passer la muraille jusqu'au Monte Mario.

© CHINKS - FOTOLIA

>> Sur le pouce

■ MONDO ARANCINA

Via Marcantonio Colonna, 38
Prati ✆ +39 06 9761 9213
www.mondoarancina.it
Ouvert du lundi au samedi midi et soir. Fermé le dimanche.

La Sicile s'invite à Rome, par l'inter-médiaire de Mondo Arancina. On y déguste notamment les *arancini*, la spécialité sicilienne absolue. Il s'agit de petites boules de riz frites, remplies de fromage, de viande ou de poisson. Excellent pour manger sur le pouce.

▶ **Autre adresse :** Via Tuscolana, 1266 • Via Flaminia, 42.

>> Pause gourmande

■ GELARMONY

Via Marcantonio Colonna, 34
Prati ✆ +39 06 320 2395
www.gelarmony.it
Ouvert tous les jours de 10h à tard dans la nuit.

La via Colonna regorge décidément de bonnes adresses siciliennes, car, adjacent à Mondo Arancina, on rencontre ce paradis de la glace. Gelarmony met en scène des glaces siciliennes avec une vaste gamme de goûts. Il ne faudra pas manquer la brioche gigantesque remplie de glace et surmontée de crème. Les vitrines offrent un cadre coloré et déconcertant de saveurs. Seuls les produits naturels sont utilisés à Gelarmony et toutes les glaces – à base de fruits ou crémeuses – sont fabriquées à la main.

>> Bien et pas cher

■ AGUSTARELLO

Via G. Branca 98
Testaccio
✆ +39 06 574 6585
Ouvert le lundi de 7h30 à 11h30 et de 19h30 à 23h30, du mardi au samedi de 12h30 à 15h et de 19h30 à 23h30. Fermé le dimanche et en août. Repas environ 25 €. Attention : n'accepte pas les cartes de crédit.

Sa façade ne paye pas de mine mais, si vous poussez la porte de ce restaurant du Testaccio, vous pourrez goûter une cuisine romaine authentique, dans une ambiance qui l'est tout autant. Attention, les végétariens ne seront pas à la fête !

■ DA BUCATINO

Via Luca della Robbia, 84-86
Testaccio
✆ +39 06 574 6886
Ouvert du mardi au dimanche midi et soir. Fermé le lundi. Compter de 15 à 20 € par repas.

Une entreprise familiale, menée d'une main de fer par la *mamma*. On craint parfois de se faire molester si l'on ne finit pas son assiette, mais cela ajoute à l'authenticité du lieu. Da Bucatino est là pour vous nourrir, rien d'autre.

■ IL PULCINO BALLERINO

Via degli Equi 66-68
San Lorenzo
✆ +39 06 494 1255
www.pulcinoballerino.com
pulcinoballerino@gmail.com
Ouvert du lundi au vendredi de 12h45 à 15h45 et toute la semaine

de 20h à minuit. Repas autour de 20 € (hors boisson).

Fabio et Luciano, deux amis d'enfance, ont retapé cette petite *osteria* pour en faire une très jolie adresse, appréciée des habitants du quartier San Lorenzo. La salle garde un charme à l'ancienne tandis que dans les assiettes le chef sait utiliser les herbes pour relever les viandes ou les salades. Les plats sont originaux, goûteux et finement préparés.

▪ L'INSALATA RICCA

Via Francesco Acri 50-52
℃ +39 06 541 1509
www.insalataricca.it
riccaidea@virgilio.it
Ouvert tous les jours de 12h30 à 15h et de 19h à 24h. Repas à la carte de 9 à 15 €.

Cette chaîne de restaurants proposant de très bonnes salades, copieuses et rafraîchissantes, se trouve un peu partout en ville, mais comme il n'y a pas grand-chose pour se sustenter dans le quartier de l'EUR, c'est ici que nous vous l'indiquons.

▪ UN PUNTO MACROBIOTICO

Via dei Volsci, 119
San Lorenzo
℃ +39 06 4470 3932
Ouvert tous les jours sauf le dimanche. Compter 8 € par repas.

Pour changer radicalement des tripes à la romaine, rendez-vous dans cette cantine végétarienne, prisée des étudiants du quartier San Lorenzo. On y mange très sainement, pour pas cher. Au menu, légumes et céréales, principalement issus de l'agriculture biologique.

›› Bonnes tables

▪ ARMANDO A SAN LORENZO

Piazzale Tiburtino 1-3-5
℃ 06 4959270
www.ristorantearmando.it
M° Vittorio-Emanuele, bus : n°71.
Ouvert de 13h à 15h et de 19h30 à minuit tous les jours sauf le mercredi.
Depuis 60 ans, cette maison familiale régale les papilles des habitants du quartier comme des touristes d'une bonne cuisine romaine traditionnelle et du poisson frais aussi. Assuré par des femmes de caractère, le service ne passe pas inaperçu. Plat du jour, buffet d'*antipasti*, plats à la carte (tripes à la romaine pour les amateurs et tous les autres classiques), viandes à la braise, longue liste de pizzas cuites au feu de bois et l'incontournable tiramisu sont proposés à des prix raisonnables. Bon choix de vins. La jolie salle rustique avec ses boiseries et nappes à carreaux assurent une soirée conviviale. On peut aussi s'installer en terrasse pendant la belle saison !

▪ BIBI E ROMEO

Via della Giuliana, 87
Au nord de Prati, en montant vers le Monte Mario ℃ +39 06 397 356 50
www.bibieromeo.it
Ouvert du lundi au samedi midi et soir. Fermé le dimanche. Comptez 35 € par personne.
La carte oscille entre traditions napolitaine et romaine, offrant à ses hôtes une grande variété de plats et l'occasion de goûter à plusieurs gastronomies en un repas. Les locaux ne s'y trompent pas puisque le restaurant est toujours plein. Peut-être est-ce aussi grâce à la carte des vins, remarquable.

■ CHECCHINO DAL 1887
Via di Monte Testaccio 30
Testaccio
✆ +39 06 574 3816
www.checchino-dal-1887.com
checchino_roma@tin.it
*Ouvert du mardi au samedi de 12h30 à
15h et de 20h à minuit. Fermé
dimanche et lundi.*
La cuisine romaine, connue pour sa
prédilection pour les abats, est née
ici, au cœur du Testaccio, près des
abattoirs. Checchino fait partie des
premiers restaurants à avoir utilisé
ces restes de viandes pour les transformer en mets raffinés. C'est ici
donc qu'il faut venir pour goûter à la
coda alla vaccinara (queue de bœuf)
ou l'*abbacchio alla cacciatora* (abats
d'agneau).

■ KETUMBAR
Via Galvani 24
✆ +39 06 573 053 38
www.ketumbar.it
*Ouvert tous les soirs sauf le dimanche
de 20h à minuit.*
Ketumbar, contrairement à ce que
l'on pourrait penser, ne fait pas
référence à un bar, mais c'est le mot
malais pour désigner « la coriandre ».
Nous sommes donc bien ici dans
un restaurant, assez nouveau, qui
propose une cuisine fusion où les
spécialités italiennes rencontrent les
plats asiatiques. Des pâtes donc,
mais surtout des *sushis*, des *sashimis*
ou du *nasi goreng*, riz sauté d'Indo-
nésie. La salle élégante et minimaliste avec ses meubles indonésiens a
déjà été photographiée par plusieurs
magazines romains de décoration.
Bougies et musique douce achèvent
le dépaysement.

>> Luxe

🖋 LA PERGOLA
Via Alberto Cadlolo, 101
Prati ✆ +39 0635 092 152
www.romecavalieri.com
lapergolareservations.rome@
hilton.com
*Ouvert du mardi au samedi de 19h30 à
23h30. La veste est obligatoire pour
les hommes. Sur réservation. Menu
six plats 175 €, neuf plats 198 €.*
Trois étoiles au Michelin annoncent
la couleur. Le fondateur et chef de
ce restaurant, l'Allemand Heinz
Beck, continue de maintenir une
réputation de grand talent, grâce
à sa cuisine d'inspiration méditerranéenne, réhaussée d'une pointe
d'exotisme. Les produits de la mer
sont à l'honneur dans les assiettes,
dont on apprécie aussi la présentation
très soignée. Pour ne rien gâcher, le
restaurant est situé en terrasse et
surplombe la basilique Saint-Pierre.

■ L'ARCHEOLOGIA
Via Appia Antica 139
(près de la tombe de Cecilia Metella)
✆ +39 06 788 0494
www.larcheologia.it
*Ouvert de 12h30 à 15h et de 20h à 23h.
Fermé le mardi. Comptez environ 60 €
pour un menu complet, sans le vin.*
Ce restaurant qui existe depuis la
fin du XIXe siècle se trouve directement sur l'Appia Antica et jouit à ce
titre d'un décor assez exceptionnel,
entre vieilles pierres et jolis jardins.
La carte joue sur la rencontre entre
mer et terre avec des recettes parfois
anciennes remises au goût du jour.
Une adresse tout en élégance.

SHOPPING

On trouve beaucoup de rues commerçantes dans ces quartiers d'habitation, mais rien de particulier à signaler pour le visiteur, en dehors du marché de Testaccio, l'un des plus intéressants de la ville.

ANTICA FABBRICA DEL CIOCOLATO SAID

Via Tiburtina, 135, San Lorenzo
℘ +39 06 446 9204 – www.said.it
Compter 25 € pour un plat principal.
Depuis 1923, cette boutique logée dans les usines du même nom, régale les gourmands de ses chocolats artisanaux, présentés sous forme de truffes, de tablettes ou de bonbons.

■ MARCHÉ DES ANTIQUITÉS DU PONT MILVIO

Flaminio
Si vous aimez les vieux objets et que vous vous trouvez à Rome le premier week-end d'un mois, vous prendrez certainement plaisir à chiner sur cette brocante au bord du Tibre. C'est en plus une bonne occasion de découvrir un quartier peu fréquenté des touristes et bien agréable.

■ MARCHÉ DE TESTACCIO

Tous les matins, du lundi au samedi.
Rendez-vous au sud du Tibre, pour dénicher de bonnes affaires. Le marché du Testaccio est surtout connu pour ses étals de chaussures dégriffées. On y trouve aussi de l'alimentation.

■ VOLPETTI

Via Marmorata 47
℘ +39 06 574 2352
www.volpetti.com

Ouvert tous les jours de 8h à 14h et de 17h à 20h15. Fermé le dimanche.
Cette célèbre épicerie du Testaccio est l'endroit idéal pour composer votre panier souvenirs gourmands avant de quitter la ville. On y trouve tous les produits caractéristiques de l'Italie en version haut de gamme : charcuterie, fromages, huiles d'olive, pâtes fraîches, biscuits, chocolats... sans oublier les vins et autres liqueurs.

SORTIR

Les véritables oiseaux de nuit romains se retrouvent hors les murs. Le quartier de San Lorenzo draine une population étudiante plutôt jeune avec des bars de quartier très sympathiques et, aussi vers Nomentana, des lieux alternatifs branchés. Mais la Mecque des noctambules se trouve dans la zone Testaccio-Ostiense-Garbatella où se tiennent les plus grandes discothèques de Rome, avec des lieux jet set ou plus underground, souvent multiconceptuels, alternatifs et innovants.

» Cafés - Bars

■ ENOTECA FERRAZZA

Via dei Volsci, 59
San Lorenzo ℘ +39 06 490 506
Ouvert de 18h à 2h. Fermé les dimanches et jours fériés. Prix moyen 20 €.
Une large sélection de vins régionaux, à découvrir dans une atmosphère chic et détendue. Cette œnothèque propose aussi plusieurs plats de viande ou de poisson pour accompagner la dégustation. Le week-end, mieux vaut arriver avant 20h pour avoir une table.

HORS LES MURS

187

■ IL BARONE ROSSO

Via G. Libetta, 13
Ostiense/Garbatella
℅ +39 06 5728 8961
www.baronerosso.com
Le Village Libetta, situé à Ostiense, regroupe plusieurs bars, qui permettent de passer toute une soirée en changeant d'ambiance. Nous avons choisi le Baron Rouge pour sa grande terrasse, son ambiance détendue et sa vocation de « before », parmi tous les clubs présents.

■ MICCA CLUB

Via Pietro Micca, 7a, San Lorenzo
℅ +39 06 87 42 05 09
www.miccaclub.com
Ouvert tous les jours à partir de 18h.
Voici un espace de divertissement dans le plus pur style qui soit. Le Micca Club est connu pour ses concerts en live, ses fêtes burlesques, son apéro, mais aussi son marché vintage. Ce lieu atypique se distingue également par ses allures de cathédrale avec son escalier en colimaçon, ses beaux volumes, ses arches et ses colonnes.

» Clubs et discothèques

■ AKAB-CAVE

Via di Monte Testaccio 69
℅ +33 6 57 25 05 85
www.akabcave.com
akab1976@tiscali.it
Ouvert du mardi au samedi à partir de 22h30 et les dimanche et lundi selon les événements.
Musique disco, soul, house, dance et R'n'B sur deux étages, c'est l'une des grosses boîtes du Testaccio. La déco est sympa, mais les plafonds bas ne sont pas faits pour les claustrophobes !

■ ALPHEUS

Via del Commercio 36
℅ +39 06 574 7826
www.alpheus.it – alpheus@libero.it
Ouvert tous les jours. Prix variable selon la manifestation.
À Garbatella, cet espace multi-salle (trois grandes et trois petites) accueille concerts, discothèque, initiatives théâtrales et spectacles de cabaret. Il y en a pour tous les goûts. On peut aussi manger à la *bisteccheria*, pour les carnivores.

■ AMETISTA

Via Giuseppe Libettà, 3
℅ +39 334 38 34 180
www.ametistadiscoclub.it
Ouvert tous les jours à partir de 19h ou 22h.
Situé sur les fondations du Classico Village, Ametista est devenu l'un des clubs les plus chics de la capitale. Selon la programmation variée : le lundi est dédié au tango, le mardi est animée par le groupe MalloLory, les week-ends sont consacrés aux soirées house, à destination d'un public hétéroclite et exigeant.

■ L'ALIBI

Via di Monte Testaccio 44
℅ +39 06 5743 448
www.lalibi.it
Ouvert du jeudi au samedi de 23h à 5h. Entrée : 15 € avec boisson.
Ce lieu est considéré comme LA boîte de nuit gay de Rome. Il n'en reste pas moins ouvert à tout le monde dans un réel esprit de convivialité auquel se prête un décor chaleureux et raffiné. Musique soul, house, dance et disco. En été, on prend l'air sur la vaste terrasse aménagée sous les étoiles. Un réel bonheur !

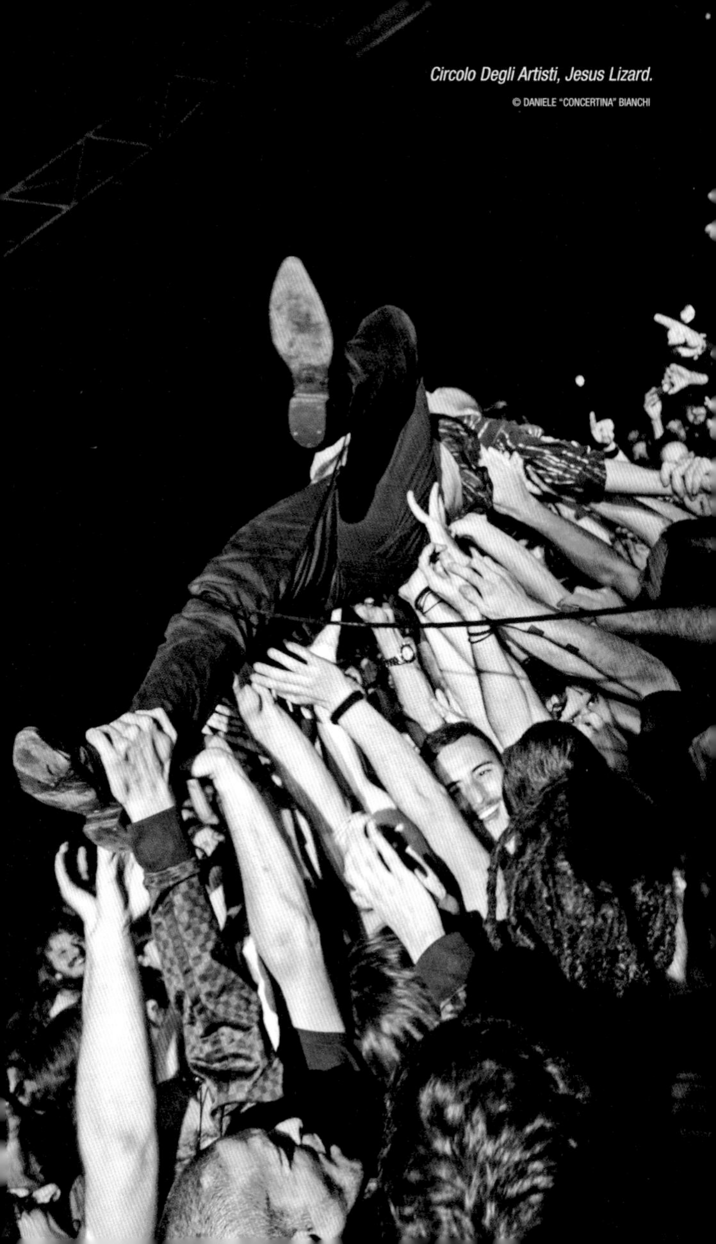

Circolo Degli Artisti, Jesus Lizard.

■ CIRCOLO DEGLI ARTISTI

Via Casilina Vecchia, 42
Au sud-est de San Lorenzo
℡ +39 06 703 056 84
www.circoloartisti.it
M° Ponte Casilino

Fermé le lundi. On ira au Cercle des Artistes, en fin d'après-midi ou en début de soirée, pour découvrir cet étonnant lieu de spectacles, qui dispose de plusieurs bars, d'une discothèque, d'une salle de cinéma et même d'une piscine ! Concerts rock, electro, house ou hip-hop, manifestations artistiques, marché vintage... il se passe toujours quelque chose au Circolo degli Artisti !

Circolo Degli Artisti, Jesus Lizard.

© DANIELE "CONCERTINA" BIANCHI

■ QUBE DISCO

Via di Portonaccio 212
℡ +39 06 438 5445
www.qubedisco.com
M° Prenestina.

Fermé le lundi, mardi et dimanche. C'est dans le quartier Tiburtina, du côté de San Lorenzo, que se trouve la plus grande boîte de Rome. Programmation variée, avec des soirées rock le jeudi, culture homosexuelle le vendredi, et DJs internationaux le samedi.

■ RADIO LONDRA

Via Monte Testaccio 67
Testaccio
℡ +39 06 575 0041
℡ +39 06 575 0044
www.radiolondradiscobar.com
radiolondrarm@gmail.com

Ouvert de 23h30 à 3h, sauf les lundi et mardi. Une population moins *happy few* qu'ailleurs, mais néanmoins branchée house et electro, se retrouve dans ce petit club du Testaccio. La salle est vraiment sympa, la musique de qualité, et l'ambiance assez délirante. Petite pizzeria à l'étage pour caler les petits creux.

» Spectacles

■ BEBOP JAZZ CLUB

Via Giuseppe Giulietti, 14
℡ +39 347 1771710
www.bebopjazzclub.net

Un club de jazz à la new-yorkaise, que l'on retrouve dans le quartier du Testaccio, près de la station de métro Piramide. En plus des concerts, à surveiller sur le site Internet, le Bebop fait aussi restaurant.

Organiser son séjour

Pense futé

>> Argent

Idées de budget par jour et par personne (logement, repas et visite) :

- **Petit budget :** 110 €.
- **Budget moyen :** 180 €.
- **Gros budget :** 350 € et plus.

>> Climat

Située à une trentaine de kilomètres de la mer, Rome bénéficie d'un climat extrêmement doux. Les températures hivernales ne tombent pas en dessous de 0 °C et flirtent pour les mois les plus froids autour de 5 °C. En été, les températures peuvent atteindre les 35 °C. Les saisons les plus plaisantes sont le printemps et l'automne.

>> Décalage horaire

Il n'y a pas de décalage horaire entre la France et l'Italie qui applique les mêmes changements d'heure en été et en hiver.

Formalités

Que vous voyagiez en train ou en avion, munissez-vous de votre carte d'identité ou de votre passeport.

>> Internet

A Rome, les cybercafés (Internet Point en italien) ne se trouvent pas à tous les coins de rue et les tarifs sont plutôt élevés (entre 3 et 5 € de l'heure !). A titre indicatif, vous en trouverez un (cher mais central) sur le Corso Vittorio, au niveau du Largo Argentina, ou un plus économique (2 € de l'heure), via Monserrato, près de la piazza Farnese. Les accès wi-fi sont de plus en plus courants dans les hôtels les plus confortables et dans quelques cafés, notammment vers la piazza Navona et dans le Trastevere.

>> Langues parlées

Les Italiens, comme les Français, n'excellent pas dans la pratique des langues étrangères. Si vous ne parlez pas italien, vous arriverez tout de même à vous débrouiller entre l'espagnol, l'anglais et le français.

» Sécurité

Rome n'est pas une ville particulièrement dangereuse. Adoptez les précautions habituelles pour éviter les pickpockets dans les transports et sur les marchés.

» Téléphone

▶ **Pour appeler de la France** vers un numéro fixe italien ou portable : 00 39 + indicatif de la ville + numéro (pour appeler Rome, faites le 00 + 39 + 06 + numéro à un nombre de chiffres variables).

▶ **Pour appeler la France de l'Italie :** 00 + 33 + indicatif de la ville sans le 0 initial.

▶ **Pour votre portable,** des cartes téléphoniques prépayées (*carte internazionali prepagate*) sont disponibles à partir de 5 € dans les environs de la gare Termini et dans presque tous les bureaux de tabac. Elles vous éviteront les mauvaises surprises de retour en France.

Carabinieri romain.

© STÉPHANE SAVIGNARD

▶ **Cabines téléphoniques :** des cartes de 3 €, 6 € et 10 € sont vendues dans les débits de tabac, bureaux de poste, kiosques à journaux.

» Tourisme

■ 060608
℡ +39 06 06 08 – www.060608.it

■ ASSESSORATO REGIONALE AL TURISMO
Via Rosa Raimondi Garibaldi, 7
℡ N° vert : 800 01 22 83
www.regione.lazio.it
urp@regione.lazio.it
Le site de l'office de tourisme de la région du Lazio.

■ OFFICES DE TOURISME
℡ +39 06 06 08
www.turismoroma.it
turismo@comune.roma.it
Accueil en multilingue. Ouvert généralement tous les jours de 9h à 18h30-19h.
Les principaux kiosques d'information touristique, sont situés piazza delle Cinque Lune (Navona), piazza Pia (Castel Sant'Angelo), piazza Sydney Sonnino, via Minghetti, via Nazionale (près du Palais des Expositions), via dell' Olmata (Santa Maria Maggiore), Stazione Termini Platforme 24. Un bureau d'information est également présent à l'aéroport de Fiumicino, aux Terminaux B et C aux arrivées. A Ciampino, on le trouve à l'arrivée des bagages internationaux.

■ OMNIA
www.omniavaticanrome.org
85 €. Pour les enfants de 6 à 12 ans il y a un kit spécial au prix de 55 €.

Y aller

L'avion est le moyen de transport le plus simple et le plus rapide pour se rentre à Rome. Le train et le bus se révèlent beaucoup plus longs pour des tarifs équivalents.

Via Condotti.

EN AVION

■ AIR FRANCE
℘ 36 54 (0,34 €/min d'un poste fixe) – www.airfrance.fr
Air France propose 6 vols quotidiens et directs entre Paris et Rome (certains en partenariat avec Alitalia). Comptez environ 2 heures de trajet. Egalement des départs de Bordeaux, Lyon, Marseille et Nice.

■ ALITALIA
℘ 0892 655 655 – www.alitalia.fr
Alitalia assure plsueurs liaisons quotidiennes Paris-Rome, dont certaines en partenariat avec Air France. Le trajet dure un peu plus de 2 heures. D'autres trajets possibles, mais avec escale à Turin ou Milan.

■ BRUSSELS AIRLINES
℘ 0 892 64 00 30
www.brusselsairlines.com
La compagnie propose plusieurs

Rue du Quirinal.

liaisons directes chaque jour entre Bruxelles et Rome. Possiblité de partir de Paris avec une escale à Bruxelles.

■ EASYJET
℗ 0 826 10 26 11
www.easyjet.com
EasyJet propose plusieurs liaisons entre Paris et les grandes villes italiennes, dont des vols directs pour Rome-Ciampino au départ de Lyon, Paris-Orly et Basel/Mulhouse.

■ RYANAIR
℗ 0 892 232 375 – www.ryanair.com
Chaque jour au départ de Paris-Beauvais, Ryanair propose 2 vols à destination de Rome.

■ SWISS INTERNATIONAL AIR LINES
℗ 0 820 04 05 06
www.swiss.com/fr
Membre de Star Alliance.
Swiss International Airlines propose des vols quotidiens de Paris à Rome, via Zurich.

■ XL AIRWAYS
3, place de Nerlin – Roissy
℗ 0 825825589 – www.xl.com

EN TRAIN

■ ARTESIA
www.artesia.eu
www.voyages-sncf.com
Artesia, filiale de la SNCF et des Chemins de fer italiens, assure les liaisons en train de nuit tous les soirs au départ de Paris (gare de Bercy) à destination de Rome. A partir de 35 € l'aller simple, avec les tarifs Prem's en couchettes 6 places.

Sites comparateurs et enchères

■ EASYVOYAGE
www.easyvoyage.com

■ EASY VOLS
www.easyvols.fr

■ ILLICOTRAVEL
www.illicotravel.com

■ KELKOO
www.kelkoo.com

■ LILIGO
www.lilligo.com

■ MYZENCLUB
www.myzenclub.com

■ PRIX DES VOYAGES
www.prixdesvoyages.com

■ SPRICE
www.sprice.com

■ VOYAGER MOINS CHER
www.voyagermoinscher.com

EN BUS

■ EUROLINES

28, avenue du Général-De-Gaulle
Bagnolet ✆ 0 892 89 90 91
www.eurolines.fr
*M° Gallieni. Permanence téléphonique
(0,34 €/min) du lundi au samedi de 8h
à 21h, dimanche de 10h à 17h.*
Eurolines propose plusieurs départs
par semaine de Paris-Gallieni (région
parisienne) pour Rome. Aller/retour : à
partir de 135 € pour les plus de 26 ans.
Comptez un minimum de 18 heures
de voyage. Des promotions sont
régulièrement proposées, ainsi que
des réductions pour les enfants, les
moins de 26 ans et les plus de 60 ans.
Des départs de nombreuses villes de
province sont aussi disponibles.

■ VOYAGE EN BUS

✆ 04 76 43 30 81
www.voyagenbus.com
Partez en week-end à Rome avec
Voyagenbus : A/R en bus, une nuit en
hôtel et la liberté pendant la journée.

Egalement des circuits en combiné
avec d'autres villes et des séjours
proposés pour le Nouvel An.

AGENCES DE VOYAGE

■ AUTREMENT L'ITALIE

72, boulevard Saint-Michel
(6ᵉ) Paris ✆ 01 44 41 69 95
Fax : 01 44 07 21 80
www.autrement-italie.fr
Spécialisée depuis 20 ans dans les
voyages à destination de l'Italie,
l'équipe d'Autrement l'Italie met un
large panel de séjours à disposition,
et l'internaute n'aura qu'à sélectionner
parmi les propositions suivantes :
culture, voyages à thème, croisières,
locations, hôtellerie, voyages d'exception, week-ends escapade, soins du
corps, bien-être, voyages organisés,
séjours en club et voyages d'entreprise. Pour Rome, il est aussi possible
de composer son séjour en bénéficiant d'un contact personnalisé.

V.O. Italia est une agence de voyages spécialisée dans une Italie « à l'italienne », au croisement de tous les savoir-faire transalpins. V.O. propose des voyages thématiques pour une découverte personnalisée. Des voyages « prêt-à-partir » sont également programmés, comme « Rome à cheval ».

PLANS ALTERNATIFS

■ ROME À L'OREILLE
www.pocketvox.com
Un guide personnel que vous arrêtez quand vous le souhaitez. Sur le site de Pocketvox, des promenades audio à télécharger sont proposées pour visiter Rome en toute liberté.

■ ROME INSOLITE
www.guiderome.com
Des visites à thèmes sont proposées par cette association de guides conférenciers uniquement féminins. Découvrez « Rome au féminin », « Anges et démons », « Rome en vélo » ou « Rome ésotérique ».

■ ROME SPIRITUELLE
18 rue Gounod
Saint-Cloud
✆ 01 41 12 04 80
www.ictusvoyages.com
Pour découvrir la Ville éternelle et le Vatican en suivant sa spiritualité, des itinéraires sont proposés par cette agence de voyages, qui inclut notamment la Chapelle Sixtine, la tombe de Jean-Paul II...

© JOHN FRECHET - ICONOTEC

Marché aux fleurs sur la Piazza di Spagna.

■ ITALOWCOST
✆ 0 892 160 960
www.italowcost.com
Italowcost propose des week-ends à bas prix à Rome (3 ou 4 nuits en 4-étoiles). Les forfaits peuvent être agrémentés de package excursions. 2 vols par semaine sont programmés au départ de Paris permettant des forfaits week-end 3 nuits (du jeudi au dimanche) et court séjour (du dimanche au jeudi).

■ V.O. ITALIA
4, rue du Caire
(2e) Paris
✆ 01 42 80 22 83
www.vo-italia.com
direction@vo-italia.com

ORGANISER SON SÉJOUR

S'y déplacer

Nous déconseillons fortement de circuler à Rome en voiture. Le trafic est intense, les places difficiles à trouver, et en plus l'accès au centre-ville est réglementé. Le scooter ou le vélo sont en revanche une bonne alternative. Mais c'est encore à pied (avec de bonnes chaussures car les pavés, ça use !) que Rome se découvre le mieux. Le centre n'est pas très étendu et, avec un service de transports en commun relativement efficace, vous vous débrouillerez sans problème !

›› Transports en commun

La ville de Rome devrait être dotée de trois lignes de métro, au lieu des deux actuelles, d'ici à... En fait, plus personne n'ose avancer de date, tant les retards s'accumulent depuis 20 ans en raison des trouvailles archéologiques. Le métro vous servira donc surtout à atteindre les quartiers hors

les murs. Les bus, qui l'été se transforment vite en véritable fournaise, sont davantage utilisés, même s'ils sont fréquemment pris dans les bouchons autour de Termini ou de la piazza Venezia par exemple. Comme le métro, ils circulent de 5h30 à minuit et, pour le reste de la nuit, il y a les lignes portant la lettre « N », en noir sur les panneaux, qui fonctionnent de 00h10 à 5h30. Notez qu'il existe également 6 lignes de tramway. Pour profiter de ce réseau, vous avez le choix entre :

❱ **Le BIT,** un ticket à 1 €, qui vous permet de voyager pendant une durée maximale de 75 minutes sur les lignes de métro (valable pour un seul déplacement dans le métro) et de bus (vous pouvez changer de bus).

❱ **Le BIG,** un ticket journalier à 4 € valable pour 24 heures (à composter une seule fois au moment de sa première utilisation).

▌ **Le Biglietto Turistico Integrato** à 11 €, qui s'adresse essentiellement aux touristes et est valable trois jours. La durée de validité s'inscrit automatiquement sur le ticket lors du premier compostage. Notez que l'équivalent de ce billet est inclus dans le Roma Pass. Les billets peuvent s'acheter dans les bureaux de tabac ou les kiosques à journaux, ou alors dans les billetteries automatiques des stations de métro.

■ **TRAMBUS OPEN**
✆ +39 800 281 281
www.trambusopen.com
Deux lignes Openbus, le 110 et l'Archéobus, sont spécialement destinées aux touristes. Il existe un billet combiné de 25 € pour les deux bus et qui dure 72 heures.

▌ **La ligne 110 Open** propose un tour de ville panoramique en car à double étage. Le circuit se déroule à l'intérieur du centre historique romain en passant ainsi par tous les sites historiques et archéologiques

© AUTHOR'S IMAGE - PHILIPPE GUERSAN

du plus grand intérêt. Le 110 part dès 8h30 de Termini, puis toutes les 15 minutes jusqu'à 20h30. Vous pouvez descendre et le reprendre tant que vous le voulez, pour 20 € pendant 48 heures.

▌ **La route touristique Archéobus** passe par le centre de Rome, puis le long du parc de la via Appia Antica. Une fois traversé une partie du centre historique romain, la ligne Archéobus poursuit le long du parc de l'Appia Antica jusq'à la villa dei Quintili, passant près des fameuses catacombes. C'est un service circulaire au départ de Termini de 9h à 16h30, toutes les 30 minutes, pour 12 € pendant 48 heures.

Avant toute chose...

... procurez-vous un plan des transports publics en vente dans les kiosques à journaux. C'est relativement indispensable si vous comptez circuler en bus. Vous pouvez aussi consulter le site de la société des transports en commun de Rome : www.atac.roma.it

LES TAXIS

A Rome, la course est calculée pour la distance parcourue avec un barème fixant, pour un trajet de 3 km, une somme de 4 € et 0,77 € supplémentaire par kilomètre parcouru. Plusieurs compagnies proposent leurs services :

■ **RADIO TAXI 06 3570**
✆ +39 06 3570

■ **TAXI TURISMO ROMA**
✆ +39 060609 – www.060608.it

LOCATION DE VOITURE

■ **AUTO ESCAPE**
✆ +33 0892 46 46 10
webmaster@autoescape.com

© AUTHOR'S IMAGE

VÉLO

Rome n'est bien sûr pas comparable à Amsterdam… Pourtant, découvrir le centre historique et les parcs de Rome à bicyclette peut s'avérer une expérience tout à fait unique, que tentent de plus en plus de visiteurs. Il est déconseillé de prendre les grands axes, en raison du trafic intense et des risques liés aux automobilistes romains peu habitués aux cyclistes. En revanche, les petites rues du centre sont tout à fait utilisables à vélo. Seul inconvénient, la morphologie vallonnée de Rome.

■ **ECOMOVERENT**
Via Varese 48-50
✆ +39 06 447 045 18
www.ecomoverent.com
Ouvert tous les jours de 8h30 à 19h30. La carte de crédit n'est pas acceptée. Une soixantaine de vélos à louer pour 4 € de l'heure et 10 € la journée.

■ **PARCO APPIA ANTICA**
Via Appia Antica, 58-60
✆ +39 06 5135316
www.parcoappiaantica.it
infpuntoappia@parcoappiaantica.it
Ouvert tous les jours de 9h30 à 16h en hiver, de 9h30 à 17h de mars à octobre, 18h le dimanche et en août. Pour parcourir l'Appia Antica en roue libre, il est possible de louer des vélos à l'entrée.

■ **VILLA BORGHÈSE**
Viale di Villa Medici
✆ +39 06 678 4374
www.galleriaborghese.it
info@ticketeria.it
Ouvert de 9h à 22h tous les jours. Comptez 3 € de l'heure.

© STÉPHANE SAVIGNARD

Des vélos et des vélos électriques sont disponibles à l'entrée de la villa Borghèse. Idéal pour découvrir le plus célèbre des parcs romains !

MOTO - SCOOTER

Qui n'a jamais vu ne serait-ce que quelques images de l'actrice Audrey Hepburn et de l'acteur Gregory Peck chevauchant leur Vespa avec le Colisée en toile de fond ? Ou des années plus tard le facétieux Nanni Moretti faire de même dans son *Journal intime* ? Si, pour vous, il est important de faire couleur locale, adoptez donc le moyen de locomotion préféré des Romains. Pour cela, il faut répondre à deux obligations essentielles : avoir plus de 14 ans et détenir un permis de conduire, au cas où vous voudriez piloter une 125. Il vous sera alors possible de visiter le centre-ville historique, car ce moyen de locomotion n'est pas soumis à la « zone de trafic limité ». Cependant, sachez qu'il peut être assez dangereux de rouler en scooter à Rome quand on ne connaît pas les rues. Compter 100 € la location pour un week-end.

■ BICI & BACI
Via del Viminale,5
℡ Viminale : +39 06 4828443
Voir la rubrique Idées de séjour – Visites guidées.

■ ON ROAD
Via Cavour, 80 – Monti
℡ +39 06 4815 669
Fax : +39 06 488 1329
www.onroad.it – M° Cavour.
Ouvert tous les jours de 9h à 19h (magasin Vittorio Emanuele II de 10h à 14h et de 14h30 à 18h30). Scooter à partir de 40 € par jour, moto à partir de 90 €. Réductions si vous réservez sur Internet.
Cette agence propose des scooters, des 125 et des Vespa. Comptez 50 € par jour, 65/75 € pour une Vespa.

▶ **Autre adresse :** Corso Vittorio Emanuele II, 204 ℡ +39 06 68 801.

Se loger

Pas facile de choisir son coin de villégiature, surtout si l'on ne connaît pas la ville. Un des critères décisifs pourra être l'importance que l'on accorde à l'animation nocturne, auquel cas, on essaiera plutôt de loger dans le Trastevere ou dans le périmètre de la piazza Navona-Campo dei Fiori-Panthéon. Le quartier de la Rome antique offre peu d'hôtels. En revanche, il y en a à pléthore du côté de Termini où l'on trouve les hôtels les moins chers de la ville. Autre quartier à forte concentration d'hôtels, la piazza di Spagna et la villa Borghèse. Mais là, ce sont surtout des palaces et des boutique-hôtels destinés aux adeptes du shopping de luxe sur la via Condotti ! Cela peut varier selon les établissements, mais en gros la saison hôtelière se décompose comme suit :

▶ **Basse saison** : de la 2e semaine de janvier jusqu'à fin février et de début novembre aux vacances de Noël.

▶ **Moyenne saison** : en mars, mi-juillet et août (eh oui, beaucoup trouvent qu'il fait trop chaud à Rome en plein été !).

▶ **Haute saison** : de fin mars à juillet, de septembre à novembre et pendant les fêtes de fin d'année.

›› Locations tous quartiers

■ **LE 3 ELLE**
Via San Telesforo, 15
℡ +39 338 2945822
℡ +39 339 7595787
www.le3elle.com
le3elle@gmail.com
Prés de la gare San Pietro
100 € par nuit pour tout l'appartement + 40 € pour le ménage final. Séjour minimum : 3 nuits. Longs séjours aussi possibles sur demande.
Ce délicieux appartement situé au cœur de Rome, à 500 mètres de la basilique Saint-Pierre, jouit d'une

position stratégique pour rejoindre tous les autres lieux touristiques. Il est rénové et doté d'une chambre avec lit double et d'une autre avec 2 lits, d'une cuisine totalement équipée, salle de bains avec douche. Une connexion Internet wi-fi et un ordinateur sont aussi à votre disposition. Les draps ainsi qu'un sèche-cheveux sont fournis.

◼ OH-ROME.COM

℡ +39 0821 231 553
www.oh-rome.com/fr
reservations@oh-holidays.com

Il y en a pour tous les goûts, pour tous les budgets, dans tous les quartiers. Ce site référence 450 appartements et hôtels à Rome, particulièrement dans le centre et les zones les plus prisées. Toutes les propriétés de Oh-Rome.com ont des photos, des descriptions, des plans et des évaluations de clients. Les prix débutent aux alentours de 30 € par nuit, mais on propose également

une large sélection de propriétés de luxe disponibles pour les hôtels et les appartements. La compagnie elle-même est sur Internet depuis dix ans et propose une réservation en ligne et sécurisée, ainsi qu'un service clientèle français qui peut être contacté par e-mail ou par téléphone.

◼ RENTAL IN ROME

℡ 06 99329392
℡ 06 99320047
℡ 06 9905199
Fax : 06 23328717
www.rentalinrome.com

Pour tous les budgets. Cette agence référence plus de 500 appartements à louer dans les quartiers les plus prestigieux de Rome, depuis le studio économique jusqu'aux lofts les plus luxueux, et même des villas ou des châteaux aux environs de la ville. Les locations sont possibles pour une durée de 3 jours (sauf périodes de fêtes) à un an, et les prix débutent à 50 € par jour.

Dormir dans un couvent

Ne vous attendez pas à des miracles, car les prix pratiqués par les institutions religieuses ne défient pas toute concurrence – ils correspondent, ni plus ni moins, à ceux des petits hôtels. Cependant, cela peut être un mode d'hébergement différent et méditatif. Il est impossible de répertorier toutes les adresses tant il y en a, mais vous pouvez avoir quelques pistes en allant sur le site www.guiderome.com ou des suggestions d'informations à la rubrique « Hôtels », ou bien en contactant le Saint-Siège, via le site www.vatican.va – Vous pouvez enfin contacter le Centre pastoral d'accueil Saint-Louis-des-Français qui dépend de l'ambassade de France – via Santa Giovanna d'Arco 5 ℡ +39 06 68 82 71 – www.saintlouis-rome.net – qui vous enverra vers les couvents qu'il recommande. Attention toutefois, le couvre-feu dans les institutions religieuses est drastique et, pour les couples, seuls les couples mariés sont autorisés à dormir ensemble !

Hôtel Raphael.

» Campo dei Fiori, Panthéon et fontaine de Trevi

■ ALBERGO SOLE AL PANTHEON
Via del Pantheon 63
✆ +39 06 678 0441
Fax : +33 6 69 94 06 89
www.solealpantheonrome.com
Chambre double à partir de 179 €, suite 300 €, avec de fréquentes promotions pour les réservations sur le Web. Petit déjeuner inclus. Bar, jardin, laverie.
Depuis 1467, cet hôtel 4 étoiles, le plus ancien de Rome, héberge les grands d'Europe. Jean-Paul Sartre et Simone de Beauvoir y ont séjourné à plusieurs reprises, lors de leurs voyages dans la Cité éternelle qu'ils appréciaient particulièrement. Le style Empire est toujours présent, agrémenté aujourd'hui de tout le confort moderne. Les meilleures chambres ont vue sur le Panthéon. Absolument magique.

■ HÔTEL COLONNA PALACE
Piazza Montecitorio, 2
✆ +39 667 51 91
www.hotelcolonnapalace.com
M° Barberini.
Chambre simple de 140 à 250 €, double de 190 à 350 € avec petit déjeuner inclus. Il y a aussi des chambres triples, une quadruple et une suite.
Ce palais du XVIIe siècle abrite aujourd'hui un hôtel luxueux, situé à quelques encablures de la fontaine de Trevi. Les chambres, lumineuses et spacieuses, ont vue sur la piazza Montecitorio et sur les toits de Rome. La décoration très classique, ajoute encore au grand standing de l'établissement. La terrasse, au dernier étage, jouit d'une vue à 360 degrés sur la ville.

■ HÔTEL RAPHAEL

Derrière la Piazza Navona
Largo Febo, 2
✆ +39 06 68 28 31
www.raphaelhotel.com
reservation@raphaelhotel.it
*Chambre double standard de 550 € à
1 100 €, suite de 1 200 € à 2 000 €,
petit déjeuner buffet en supplément.
L'hôtel propose toute l'année des
offres intéressantes sur Internet.
Restaurant : compter 16 € à 20 €
pour les* primi, *22 € à 28 € pour
les* segundi.

Un hôtel très chic, dans une petite
rue derrière la piazza Navona. Unique
en son genre, l'établissement alterne
chambres classiques et contemporaines, redécorées par l'architecte
Richard Meier. Les hôtes ont accès à
une salle de fitness, une bibliothèque
et surtout une terrasse panoramique,
la terrazza Bramante, qui possède une
vue sur Rome à couper le souffle !
Le restaurant de l'hôtel est dirigé
par Jean-François Daridon, un chef
français, qui vous concoctera de
petits plats gastronomiques aux
saveurs méditerranéennes inou-
bliables. Le personnel est courtois
et parle français.

■ HÔTEL SOLE

Via del Biscione, 76
✆ +39 06 688 068 73
www.solealbiscione.it
*Chambre simple de 75 à 130 €,
double de 100 à 160 € (sans ou avec
salle de bains privée). Pas de petit
déjeuner. Garage 18 à 23 € par jour.*
Une des options bon marché et
confortables du quartier. Certaines

des chambres proposent des salles
de bains communes, baissant de
plusieurs dizaines d'euros le prix du
séjour. Une formule économique, qui
permet de séjourner près du Campo
dei Fiori, en plein cœur de Rome.
Egalement terrasse et patio.

■ HÔTEL TRITONE

Via del Tritone 210
✆ +39 06 699 225 75
Fax : +39 06 678 2624
www.tritonehotel.com
*Chambre simple de 140 à 200 €,
double de 170 à 270 €. Petit déjeuner
inclus. Accès wi-fi payant.*
Les 43 chambres, rénovées en 2009,
surprennent par le très beau design,
moderne et minimaliste, réhaussé de
tons chaleureux. Les lumières sont
travaillées, les matières réfléchies et
le service ne déçoit pas. Un bel hôtel
à deux pas de la piazza di Spagna.

■ TEATRO DI POMPEO

Largo del Pallaro, 8
✆ +39 06 6872 812
www.hotelteatrodipompeo.it
hotel.teatrodipompeo@tiscali.it
*Chambre simple de 140 à 160 €,
double de 180 à 210 €. Petit déjeuner
inclus.*
Les amoureux de vieilles pierres
auront peut-être envie de loger sur les
ruines de l'ancien théâtre de Pompée
dont des vestiges sont encore visibles
à l'intérieur de cet hôtel. Son autre
grand avantage est de se situer à deux
pas du Campo dei Fiori. Les chambres
sont peu nombreuses, personnalisées
et décorées avec goût sans trop de
fioritures. Bon accueil.

>> Colisée, Forum et Capitole

🏨 HOTEL DE MONTI
Via Panisperna, 95 – Monti
Fax : +39 06 2061 8425
www.hoteldemonti.com
M° Cavour.
Chambre double de 40 à 110 €. Petit déjeuner inclus. Wi-fi gratuit.
Rester à l'Hôtel Monti tient plus de la rencontre que du simple séjour. Rencontre avec Monti, le plus vieux quartier de Rome, où se trouvent le Colisée et le Forum, mais aussi rencontre avec le propriétaire des lieux, Alessandro. Passionné par sa ville, il vous indiquera – dans un français parfait – les bons restaurants de Rome, les astuces pour visiter futé ou encore le meilleur glacier du quartier. Les sept chambres proposées sont spacieuses, agréablement meublées et dotées de climatisation et de double-vitrage.

■ HÔTEL FORUM
Via Tor de' Conti, 25-30
✆ +39 06679 24 46
www.hotelforum.com
M° Cavour ou Colosseo.
Chambre double de 140 à 390 €, en fonction de la saison. Petit déjeuner inclus. Accès wi-fi payant. Parking 40 €. Restaurant.
Pour un premier séjour à Rome, cet hôtel, face au Colisée, offre une situation idéale. Vous rêviez de séjourner au cœur de la Cité éternelle ? Vous y êtes. Les immenses fenêtres des chambres permettent de ne rien perdre du spectacle magique qu'offre le symbole de Rome, à toutes les heures de la journée et de la nuit. Au dernier étage, une terrasse achèvera de vous séduire.

🏨 HÔTEL GRIFO
Via del Boschetto, 144 – Monti
✆ +39 06 487 1395
Fax : +39 06 474 2323
www.hotelgrifo.com
M° Cavour.
Chambre simple de 50 à 140 €, double de 54 à 160 €. Petit déjeuner inclus. Wi-fi gratuit. Réception 24h/24.
On adore cet hôtel 3 étoiles de gestion familiale, idéalement situé à proximité des plus célèbres attraits touristiques de Rome, tels que le Colisée et le Forum. L'accueil est excellent et en français. N'hésitez pas à demander des conseils au patron, vous serez enchanté de constater le nombre de services qu'il peut mettre à votre disposition, du Roma pass 3 jours avec accès aux musées, à la réservation d'une table au restaurant, en passant par de multiples conseils sur la ville.

■ HÔTEL PERUGIA
Via Colosseo, 7
✆ +39 06 679 7200
www.hperugia.it
M° Cavour ou Colosseo.
Chambre simple de 40 à 100 €, double entre 85 et 145 € (sans ou avec salle de bains privée) avec petit déjeuner.
On loge ici près du Colisée, dans l'une des 13 chambres, réparties sur quatre étages sans ascenseur. Les pièces du dernier étage ont vue sur les toits, ce qui compense leur étroi-

© DR

Crossing Candotti.

tesse. L'accueil est plutôt familial, ce qui en fait une adresse sympathique et bon marché.

›› Piazza di Spagna et villa Borghèse

■ HÔTEL BORGOGNONI
Via del Bufalo, 126
✆ +39 06 699 415 05
www.hotelborgognoni.it
M° Barberini
Chambre double de 220 à 330 €, petit déjeuner inclus.
L'un de nos hôtels préférés du côté de la piazza di Spagna, pour sa décoration à la fois moderne et très élégante dans des tons rouge et brun. Les chambres sont spacieuses et plus que confortables, la cour intérieure est jolie, l'accueil professionnel et le service personnalisé. En bref, une

très bonne adresse pour un séjour de charme dans le quartier shopping de la capitale italienne.

■ CROSSING CONDOTTI
Via Mario de' Fiori 28
✆ +39 06 699 206 33
Fax : +39 06 692 954 69
www.crossingcondotti.com
M° Spagna.
Chambre double de 180 à 300 € selon la saison.
Crossing Condotti ne faillit pas à la réputation du quartier dans lequel il se trouve. Luxe et exclusivité sont les maîtres mots de cet établissement. Véritable joyau dans le panorama des hébergements romains, cette maison de cinq chambres réserve un séjour d'exception sur le plan du confort, et un accueil plus chaleureux que dans la plupart des hôtels de ce standing.

Coup de cœur

HÔTEL ART BY THE SPANISH STEPS
Via Margutta, 56
✆ +39 06 328 711
www.hotelart.it
M° Spagna.
Chambre double de 260 à 500 €. Salle de sport et sauna.
Voici le projet de deux architectes, Gianfranco Mangiarotti et Raniero Botti, qui ont réinvesti une ancienne chapelle pour la transformer en hôtel de rêve. Les jeux de lumières alimentent l'ambiance étrange et féerique de l'hôtel, surlignant les courbes de la chapelle et révélant sa beauté mystique. Rassurez-vous, les chambres restent sobres et il fait bon y sommeiller.

■ HÔTEL INTERNAZIONALE
Via Sistina, 79
Piazza di Spagna
✆ +39 06 699 418 23
Fax : +39 06 678 4764
www.hotelinternazionale.com
bookinginternazionale@mygemhotels.com
M° Spagna
Chambre double de 150 à 240 €, 20 € de plus pour une Deluxe, 40 € de plus pour une Supérieure. Wi-fi gratuit.
Ce charmant hôtel dispose de 42 chambres de configuration différente, mais dotées de tout le confort ; certaines ont une jolie terrasse-jardin privée. L'hôtel jouit d'une situation exceptionnelle, à 10 m de la fameuse église Trinita dei Monti et de la piazza di Spagna. L'ambiance est intime et familiale surtout dans la belle salle pour le petit déjeuner où vous serez dorloté par l'aimable personnel.

■ SOFITEL ROME VILLA BORGHESE
Via Lombardia,47
✆ +39 06 478 021
Fax : +39 06 482 1019
www.sofitel-rome-villaborghese.com
H1312-re@accor.com
Chambre double min 225 €, max 480 € selon la saison. Suite min 590 €, max 990 €.

Sofitel Rome Villa Borghese.

© AUTHOR'S IMAGE – PHILIPPE GUERSAN

Le charme et l'élégance d'un palais du XIXᵉ siècle au cœur de Rome, à quelques pas de la via Veneto, de la place d'Espagne et des jardins de la villa Borghèse. Les 107 chambres, dont trois suites, sont décorées dans le style néoclassique et bénéficient de tous les équipements technologiques de pointe et d'un service haut de gamme attentionné (on vous offre même des produits Hermès à l'arrivée). Grand luxe au nouveau restaurant La Terrasse Cuisine & Lounge, situé au 7ᵉ et dernier étage et offrant une vue panoramique à couper le souffle : goûtez une cuisine méditerranéenne ou sirotez un cocktail tout en admirant la Ville éternelle qui, depuis ce point privilégié, est encore plus étonnante. Le bar Club Le Boston, salon de style anglais, est idéal pour la dégustation de thés raffinés tout en feuilletant un livre d'art et de voyages. Enfin, le Sofitel propose une salle de fitness depuis avril 2011. En bref, les amoureux de la chaîne ne seront pas déçus. Le top ? S'offrir l'une des suites avec terrasse privée du 7ᵉ étage !

© AUTHOR'S IMAGE – PHILIPPE GUERSAN

Hotel Orange dans le quartier du Prati.

›› Vatican et Trastevere

ORANGE HÔTEL
86 Via Crescenzio
Vatican
℡ +39 06 68 68 969
Fax : +39 06 68 92 610
www.orangehotelrome.com
addicted@orangehotelrome.com
M° Ottaviano – San Pietro
Chambre double de 79 € à 249 €, triple de 161 € à 291 €, suite de 157 € à 287 € *selon la saison, petit déjeuner inclus. Accès Internet 10 €/24 heures. Parking 20 €/jour. Jacuzzi sur réservation 20 €/heure.* Ce nouvel éco-hôtel 4 étoiles nous impressionne par son originalité et ses services dignes d'une structure de luxe. Il dispose de 26 chambres, dont 3 junior suites dotées de salle de bains avec douche et baignoire dans la chambre. Dans tout l'hôtel prédominent l'orange, le gris et le blanc. Le mobilier est soigné dans les détails, moderne, curieux et inspiré de la déco américaine des années 1960 et française des années 1920.

Coup de cœur

■ **GUESTHOUSE BUONANOTTE GARIBALDI**
Via Garibaldi, 83 ℰ +39 065 830 733
Fax : +39 06 583 356 82 – www.buonanottegaribaldi.com
Chambre de 150 à 230 € en basse saison, de 210 à 280 € en haute saison, petit déjeuner inclus. Réduction de 15 % pour une occupation simple. Compter de 180 à 220 € en single et de 220 à 280 € la double. Fermé en janvier et février.
C'est en 2005 que Luisa Longo, artiste peintre sur soie, a achevé la restauration de cette maison familiale pour en faire son atelier et un havre de paix pour quelques hôtes. Passé le portail et l'accueil chaleureux de Tinto, le chien, on pénètre dans une cour calme qui réserve tout le charme des villas italiennes baignées de soleil. Les trois chambres au design moderne et élégant sont équipées d'un écran plat, d'un frigo et du wi-fi. Celle de l'étage, un peu plus chère, dispose d'une magnifique terrasse. Service aux petits soins, notamment durant l'excellent petit déjeuner. Possibilité de transfert (aller-retour) vers l'aéroport et formule voyage de noces.

PALAZZO CARDINAL CESI
Via della Conciliazione, 51
(Piazza S. Pietro)
ℰ +39 06 684 0390
Fax : +39 06 681 933 33
www.palazzocesi.it
M° Ottaviano San Pietro
Chambre simple : 235 €, double de 275 € à 367 €. Nombreuses réductions en fonction de la saison, ne pas hésiter à demander. Possibilité de collation à partir de 16h30 et jusqu'à 23h30.
Notre coup de cœur dans le quartier. En effet, on loge ici au plus près de la basilique Saint-Pierre et donc au sein du Vatican. Les murs de cette demeure ont été érigés au XVe siècle et ont appartenu à d'importantes familles de la noblesse romaine, parmi lesquelles la famille Cesi. Au XVIIe siècle, le cardinal Pierdonato Cesi lance une restructuration pour transformer l'édifice en véritable musée d'antiquités et d'objets d'art. Aujourd'hui, on peut loger dans une partie de cet établissement imprégné d'histoire et d'une grande élégance. L'hôtel occupe une aile du bâtiment qui s'enroule autour d'un très charmant cloître, véritable refuge frais et silencieux, loin de l'agitation extérieure. Les 30 chambres, dont 5 de luxe, possèdent tout le confort moderne et sont reliées à Internet à haut débit. Le petit déjeuner est servi dans le réfectoire, une salle chaleureuse d'inspiration monastique. La réception est assurée par une équipe charmante toujours prête à rendre service et à organiser vos réceptions privés sur demande.

›› Termini, Celio et Esquilin

■ B&B THE SECRET GARDEN

Via Nino Bixio, 48
✆ +39 06 7707 6703
✆ +39 348 254 8541
www.secretgardenrome.com
M° Termini.

Chambre simple de 50 à 75 €, la double de 70 à 120 € avec salle de bains, petit déjeuner inclus.
Un petit jardin secret, qui vous attend pour un repos douillet après les visites de la journée. Les six chambres spacieuses et bien équipées donnent, pour certaines, sur la terrasse ombragée où l'on prend le petit déjeuner. Non loin de Termini et de la piazza Vittorio Emanuele II.

■ BETTOJA HÔTELS – HÔTEL NORD

Via G. Amendola, 3
✆ +39 06 488 5441
Fax : +39 06 481 7163
www.bettojahotels.it
hb@bettojahotels.it
M° Cavour.

Chambre simple à partir de 109 €, double à partir de 136 €, petit déjeuner inclus. Wi-fi gratuit. Parking couvert 28 €.
Situé au pied de la gare Termini, cet hôtel 3 étoiles, ancien palais des années 1930 récemment rénové, est idéal pour se réveiller dans une chambre grand confort à prix raisonnable. L'hôtel Nord a su garder son charme d'antan tout en offrant le confort moderne nécessaire, tel que le frigo, le double-vitrage ou la télévision.

Guesthouse Buonanotte Garibaldi.

■ HÔTEL DES ARTISTES

Via Villafranca, 20
✆ +39 06 445 4365
Fax : +39 06 446 2368
www.hoteldesartistes.com
M° Castro Pretorio.
Chambre simple de 49 € à 109 €, double de 59 € à 139 € selon la saison. Petit déjeuner inclus. Wi-fi : 2 € par jour ou 5 € pour tout le séjour. Une ambiance originale, un grand souci dans la décoration et un excellent rapport qualité-prix distinguent cet hôtel de la concurrence, très forte dans le quartier de Termini. Les chambres sont spacieuses, soignées et accueillantes, agrémentées de jolis tableaux du XXᵉ siècle et de meubles en bois. Superbes salles de bains en marbre avec douche et sèche-cheveux. Le vrai plus est cependant la sympathique terrasse ensoleillée et fleurie qui reste ouverte jusqu'à 1h du matin. Un bon lieu de rencontre pour les voyageurs de toutes les nationalités qui ont envie de partager leurs expériences. Accueil en français !

Hôtel des Artistes.

© HÔTEL DES ARTISTES

■ LEON'S PLACE

90-94 Via XX Settembre
Entre la Place d'Espagne et la Gare
Termini ✆ +39 06 890 871
www.leonsplace.com
leonsplace@mobygest.it
M° Repubblica
Chambre double Classique de 220 à 520 €.
Cet hôtel design, aux intérieurs élégants et modernes, est situé dans un palais du XIXᵉ siècle au cœur de Rome, facilement accessible depuis la gare Termini. Le décor est minimaliste, reprenant des tons noirs et blancs dans les zones communes ainsi que dans les chambres. Ces dernières sont spacieuses, raffinées et dotées de salles de bains fantastiques en précieux marbre polychrome de Carrara. Certaines chambres disposent aussi d'un balcon permettant de s'imprégner de l'atmosphère du centre-ville.

■ POP INN HOSTEL

Via Marsala, 80
✆ +39 06 495 9887
www.popinnhostel.com
M° Termini.
Lit en dortoir de 16 à 31 €, chambre simple de 40 à 85 € (jusqu'à 105 € avec salle de bains privée), double de 42 à 104 € (jusqu'à 120 € avec salle de bains privée), en fonction de la saison. Egalement chambres de 3, 4, 5 et 6 lits. Petit déjeuner inclus.
Trouver une bonne auberge de jeunesse à Rome n'est pas chose aisée. Pour éviter toute mauvaise surprise, rendez-vous au Pop Inn, situé juste en face de la gare

La « notte » écolo

■ **THE BEEHIVE**
Via Marghera, 8
Termini
☎ +39 06 447 045 53
www.the-beehive.com
info@cross-pollinate.com
Chambre double avec lavabos, mais salle de bains commune entre 70 à 80 €. Lit dans un dortoir pour 8 personnes entre 20 et 25 €. Egalement chambres triples.
Ici pas de télé ! Mais un conteneur pour le compost, du papier toilette recyclé, de l'huile d'olive biologique… C'est que ce petit hôtel de 8 chambres doubles et un dortoir est géré par un jeune couple américain (et par leur gros matou Igmar) passionné d'écologie, d'art et de design. Au Beehive, vous pourrez vous détendre tranquillement dans le petit jardin ou, pour les puristes, méditer dans l'espace yoga. Les chambres sont modernes et confortables, colorées juste ce qu'il faut pour s'y sentir bien. Attenant à l'hôtel, un café pour prendre un verre ou grignoter bio. Les gérants se feront aussi un plaisir de vous signaler quelques restaurants romains qu'ils ont personnellement essayés.

Termini. Chambres et dortoirs sont très bien entretenus et pas trop chargés. L'équipe de la réception parle plusieurs langues et pourra mettre à votre dispositions plusieurs services (consigne gratuite, plan de la ville…). Les draps sont fournis et l'accès à Internet est gratuit.

■ **YES HÔTEL**
Via Magenta, 15 – Termini
☎ +39 06 443 638 36
Fax : +39 06 443 638 29
www.yeshotelrome.com
M° Termini.
Chambre simple de 59 à 129 €, double de 69 à 159 €, petit déjeuner inclus.

Wi-fi 2 € par jour, 5 € pour tout le séjour, seulement à la réception.
Cette structure est d'un très haut standard pour un 3-étoiles. En effet, elle vient d'être complètement rénovée pour un résultat impressionnant quant à son style et sa fonctionnalité. Les chambres sont grandes, bien équipées, dotées de tout le confort, à commencer par un téléviseur à écran plat. Le mobilier de tout l'hôtel est moderne et minimaliste, avec de beaux meubles en bois et des tableaux dans les chambres. Yes Hôtel attire une clientèle plutôt jeune, séduite par l'excellent rapport qualité-prix.

≫ Hors les murs

■ HÔTEL LAURENTIA
Largo degli Osci, 63
San Lorenzo
✆ +39 06 445 0218
Fax : +39 06 445 3821
www.hotellaurentia.com
M° Termini
*Chambre double avec salle de bains
à partir de 62,50 € en basse saison,
125 € en haute saison. Wi-fi gratuit.
Petit déjeuner inclus.*

L'Hôtel Laurentia est régulièrement recommandé, comme l'une des bonnes adresses du quartier de San Lorenzo. L'intérêt de séjourner ici réside bien sûr dans les tarifs, plus accessibles qu'au cœur de Rome, mais aussi dans l'atmosphère du quartier, que certains diront plus authentique et plus romaine. Une option intéressante pour ceux qui veulent sortir des sentiers battus.

■ HÔTEL PULITZER
Viale G. Marconi 905 – EUR
✆ +39 06 598 591
www.hotelpulitzer.it
bookings@hotelpulitzer.it
*Chambre double de 94 € à 220 €.
Petit déjeuner inclus. Wi-fi gratuit.*
Bienvenue aux adeptes d'architecture contemporaine ! Dans un immeuble cubique du quartier de l'EUR, cet hôtel propose 83 chambres au design très contemporain caractérisé par une omniprésence du blanc et des matériaux naturels comme le cuir et le bois. La pureté des lignes invite à la relaxation et les salles de bains en céramique noire sont également très réussies.

La plupart des chambres disposent d'une terrasse privée. Le confort est optimal (wi-fi...) et les services sont nombreux (bar à cocktails, salle de sport...). L'hôtel est très apprécié de la clientèle d'affaires mais permet également au touriste de rejoindre facilement le centre de Rome car la station de métro EUR Marconi et les arrêts de bus 170 et 40 se trouvent à proximité.

Hôtel Pulitzer.

© RAMÓN SOLÀ – HÔTEL PULITZER ROMA

Index

La coupole du Panthéon est impressionnante.

Trinità dei Monti (Trinité-des-Monts),
la Scalinata et la fontaine de la Barcaccia depuis la piazza di Spagna.

© AUTHOR'S IMAGE - PHILIPPE GUERSAN

ORGANISER SON SÉJOUR

ABONNEZ-VOUS

et partez toute l'année avec le nouveau guide Week-ends en Europe.

6 numéros Petit Futé Mag

le magazine pratique de vos idées week-ends & vacances

Pour vous **20 €** seulement !

+ En cadeau

le guide Week-ends en Europe 2011

BULLETIN D'ABONNEMENT

A retourner à :
Petit Futé mag – service abonnements
18-24, quai de la Marne - 75164 Paris Cedex 19

❒ **Oui,** je souhaite m'abonner au Petit Futé Mag pour 1 an (soit 6 n°s) au prix de 20€ (au lieu de ~~27,40€~~) et je recevrai en cadeau le guide Week-ends en Europe.

❒ Je joins mon règlement par chèque bancaire ou postal à l'ordre de Petit Futé mag

❒ Je préfère régler par carte bancaire :

CB n° ⌷⌷⌷⌷ ⌷⌷⌷⌷ ⌷⌷⌷⌷ ⌷⌷⌷⌷

Expire fin : ⌷⌷/⌷⌷

Clé : (3 derniers chiffres figurant au dos de la carte) ⌷⌷⌷

Date et Signature

Mes coordonnées :
❒ Mme ❒ Mlle ❒ M.

Nom .... Prénom ....

Adresse ....

Code Postal ....Ville ....

Tél. ....

Email ....